皇族元勲と明治人のアルバム

写真師丸木利陽とその作品

研谷紀夫 [編]

吉川弘文館

はじめに

　本書は明治から大正にかけて活躍した写真師丸木利陽が撮影した写真と、論考および資料から、明治、大正期の人物イメージの形成過程を明かにする事を目的としている。明治時代に活躍した写真師に関する研究は、様々な観点から進められているが、代表的人物を多数撮影した丸木利陽については、その事績や撮影した写真に関する研究は十分とは言えない。

　しかし、現在私たちが目にする明治期に活躍した人物の肖像写真の多くが、丸木利陽によって撮影されている。そのため、我々が思いうかべる明治の人物表象は丸木利陽によって、その「原像」が作られたといってもよい。従って、丸木利陽がどのような人物であり、どのように人物表象を形成したかを知ることは、現在広く行き渡る、明治の人物イメージの源流を探ることにつながる。

　幕末から明治にかけて急激な近代化を成し遂げた日本であったが、その基層にあったのは、近代的な商工業の発展ばかりでなく、新しい時代に即した人物像の形成にあった。そして、そうした近代的な人物像を形成する過程の中では、人物の内面だけではなく、それを投影した人物表象を形成し、広めることが必要不可欠であった。そのような、近代的な人物表象の形成と浸透の重要な部分を担ったのが丸木利陽であった。

　本書の編纂にあたっては、写真を高精細デジタル画像として撮影し、それらを格納したデジタルヘリテージを用いて、丸木利陽がどのような意図や方法で人物像を撮影し、それらがどのようなメディアに表出したかといった、メディア表象の観点からも検証を行った。さらに、巻末には丸木の写真館に勤めた弟子の回想録なども収録し、写真を撮影・調製した写真館の様子を知る手かがりも掲載した。これらの資料は今後も検証が必要であるが、本書が、近代以降の日本において、人物像がどのように形成されていったかを改めて考える契機となることを願っている。

　　平成27年3月26日

　　　　　　　　　　　　　　　　　　　　　研　谷　紀　夫

目　次

はじめに
写真師丸木利陽と明治の相貌 ———————————————— *1*

I　天皇・皇后と親王

NO.01 明治天皇…*24*/ NO.02 昭憲皇太后…*26*/ NO.03 昭憲皇太后…*28*/ NO.04 昭憲皇太后…*29*/ NO.05 皇太子嘉仁親王（大正天皇）…*30*/ NO.06 皇太子妃節子（貞明皇后）…*31*/ NO.07 皇太子妃節子（貞明皇后）…*32*/ NO.08 皇太子妃節子（貞明皇后）…*33*/ NO.09 大正天皇…*34*/ NO.10 大正天皇…*35*/ NO.11 大正天皇…*36*/ NO.12 貞明皇后…*37*/ NO.13 迪宮裕仁親王（昭和天皇）と淳宮雍仁親王…*38*/ NO.14 迪宮裕仁親王…*39*/ NO.15 淳宮雍仁親王…*39*/ NO.16 淳宮雍仁親王…*40*/ NO.17 迪宮裕仁親王と淳宮雍仁親王…*41*/ NO.18 迪宮裕仁親王…*42*/ NO.19 淳宮雍仁親王…*43*/ NO.20 光宮宣仁親王、淳宮雍仁親王、迪宮裕仁親王…*44*/ NO.21 光宮宣仁親王…*44*/ NO.22 淳宮雍仁親王、光宮宣仁親王、迪宮裕仁親王…*45*/ NO.23 迪宮裕仁親王…*46*/ NO.24 迪宮裕仁親王…*47*/ NO.25 淳宮雍仁親王…*48*/ NO.26 光宮宣仁親王…*49*/ NO.27 久邇宮良子女王（香淳皇后）…*50*/ NO.28 久邇宮良子女王…*51*/ NO.29 久邇宮良子女王…*51*/ NO.30 写真を入れた封筒…*51*/ NO.31 宮内省調度寮写真部の集合写真…*52*

II　肖像アルバム

NO.32 山縣有朋…*54*/ NO.33 井上馨…*55*/ NO.34 山田顕義…*56*/ NO.35 松方正義…*57*/ NO.36 徳川慶喜…*58*/ NO.37 伊藤博文…*59*/ NO.38 岩倉具定…*60*/ NO.39 一条実孝…*61*/ NO.40 西園寺公望…*62*/ NO.41 鍋島直大…*63*/ NO.42 蜂須賀茂韶…*64*/ NO.43 副島種臣…*65*/ NO.44 板垣退助…*66*/ NO.45 田中光顕…*67*/ NO.46 桂太郎…*68*/ NO.47 橋本綱常…*69*/ NO.48 榎本武揚…*70*/ NO.49

児玉源太郎…71/ NO.50 渡辺国武…72/ NO.51 佐野常民…73/ NO.52 青木周蔵…74/ NO.53 伊東祐亨…75/ NO.54 芳川顕正…76/ NO.55 曾禰荒助…77/ NO.56 福澤諭吉…78/ NO.57 林有造…79/ NO.58 岩崎彌之助…80/ NO.59 三井高棟（八郎右衛門）…81/ NO.60 中上川彦次郎…82/ NO.61 益田孝…83/ NO.62 山本権兵衛…84

III　内親王・皇族妃と女官達

NO.63 北白川宮家写真原板収容箱…86/ NO.64 成久王妃房子内親王（原板）…87/ NO.65 成久王妃房子内親王（原板）…88/ NO.66 成久王妃房子内親王と永久王（原板）…89/ NO.67 北白川宮永久王（原板）…90/ NO.68 恒久王妃昌子内親王と成久王妃房子内親王（原板）…91/ NO.69 菊麿王妃常子…92/ NO.70 依仁親王妃周子…93/ NO.71 皇族の集合写真…94/ NO.72 高倉寿子…96/ NO.73 小倉文子…96/ NO.74 柳原愛子…97/ NO.75 園祥子…97/ NO.76 皇族妃とその子弟…98

IV　明治人の肖像

NO.77 伊藤博文…100/ NO.78 伊藤博文…102/ NO.79 伊藤博文…102/ NO.80 伊藤博文…103/ NO.81 伊藤博文…103/ NO.82 戸田氏共…104/ NO.83 戸田極子…105/ NO.84 毛利元徳と安子夫人…106/ NO.85 毛利元昭…107/ NO.86 毛利元昭…108/ NO.87 毛利安子…109/ NO.88 毛利家の集合写真…110/ NO.89 大谷籌子…112/ NO.90 大谷光瑞…113/ NO.91 金子堅太郎…114/ NO.92 伊東義五郎…115/ NO.93 珍田捨巳…116/ NO.94 勝海舟…117/ NO.95 桂壽満子…118/ NO.96 桂壽満子…118/ NO.97 桂壽満子と女性…119/ NO.98 桂壽満子…120/ NO.99 伊藤文吉と壽満子…120/ NO.100 九条家の家族…121/ NO.101 五世中村歌右衛門…122/ NO.102 五世中村歌右衛門…123/ NO.103 五世中村歌右衛門…123/ NO.104 五世中村歌右衛門…123/ NO.105 七世松本幸四郎…124/ NO.106 七世松本幸四郎…124/ NO.107 七世松本幸四郎…124/ NO.108 伊井蓉峰…125/ NO.109 伊井蓉峰…125/ NO.110 外国人の肖像写真…126

V　アルバム

NO.111 貞愛親王…*128*/ NO.112 威仁親王妃慰子…*129*/ NO.113 載仁親王…*130*/ NO.114 載仁親王妃智恵子…*131*/ NO.115 菊麿王…*132*/ NO.116 能久親王…*133*/ NO.117 依仁親王…*134*/ NO.118 山内（依仁親王妃）八重子…*135*/ NO.119 三条実美…*136*/ NO.120 三条公美…*137*/ NO.121 末松謙澄…*138*/ NO.122 伊藤博邦…*139*/ NO.123 鮫島員規…*140*/ NO.124 立見尚文…*141*/ NO.125 佐藤進…*142*/ NO.126 立太子礼鹵簿写真帖…*143*/ NO.127 東宮御所正門前（御往路）其一…*144*/ NO.128 馬場先門跡東京市奉祝門内（御往路）其五…*145*/ NO.129 宮城正門前（御帰路）其五…*146*/ NO.130 馬場先門内広場（御帰路）其一…*147*/ NO.131 馬場先門跡東京市奉祝門外（御帰路）其二…*148*

VI　丸木家と写真館

NO.132 丸木利陽…*150*/ NO.133 丸木利陽…*151*/ NO.134 丸木駒子…*152*/ NO.135 丸木利陽、中島待乳、小川一眞…*152*/ NO.136 丸木利雄…*153*/ NO.137 竹内宗吉…*153*/ NO.138 御真影調製室…*154*/ NO.139 御真影調製用水…*154*/ NO.140 丸木利陽と技師・弟子達…*156*/ NO.141 丸木利陽と技師・弟子達…*156*/ NO.142 写真館応接間での弟子達の集合写真…*157*/ NO.143 丸木写真館の「領収書兼引換証」…*157*/ 掲載写真目録…*158*

【資料編】

丸木写真館における台紙の特徴 ─── *163*
関連資料Ⅰ　根岸栄一郎　回想手記「丸木時代の想出」─── *169*
関連資料Ⅱ　伊東末太郎、有馬多可雄、伊東敏夫、丸木利陽　履歴 ─── *181*
関連年表 ─── *185*
参考文献 ─── *188*
協力機関 ─── *190*

写真師丸木利陽と明治の相貌

1. 写真師丸木利陽

　明治から大正にかけて活躍した写真師丸木利陽(まるきりよう)(1854-1923)［写真NO.132-133］は、安政元（1854）年に現在の福井県福井市で竹内宗十郎と竹内とりの長子、惣太郎として誕生した。竹内家はもともと機織(はたおり)を稼業とする家であったと伝えられており、父宗十郎は婿養子として竹内家に入っている。やがて宗十郎が亡くなると、妻のとりは新たに作之助を婿養子として竹内家に迎え、三男一女をもうける。作之助の子、即ち利陽にとって父の異なる弟の笹次郎も、後に山本家の養子となり、山本誠陽(せいよう)として営業写真師となる。惣太郎はその後士族の家であった丸木利平の娘と結婚し、婿養子となり姓を丸木と改める。そして、詳らかな理由は不明であるが、明治8（1875）年に新天地を求めて実の弟である宗吉［NO.137］とともに、一時的に家族を置いて福井を出て、東へと向かう。2人は途中で別れ、惣太郎（後の利陽）は東京へ、宗吉は青森へ向かい、その後2人ともその地で、仕事と家族を持った[1]。東京に到着した丸木惣太郎は、写真師になるため、二見朝隈(ふたみあさま)(1852-1908)の写真館に入門する。写真館においては弟の朝陽より指導を受け、5年に亘る修行を行った。その後、明治13（1880）年5月8日に新シ橋内の元三条実美(さねとみ)邸（現在の霞が関一丁目、経済産業省内）に写真館を開業した[2]。開業時に師の朝陽の名から一文字貰い、名を「利陽」と改めた。当時の様子は、『東京商工博覧絵　第一編』[3]に掲載されているが、同図によれば、写真館は木造の一部2階建ての建物で、写場は屋根の一部がガラス張りとなっており、このスラントより自然光を取り入れて撮影を行っている。弟子の米村は当時のことについて「写真所はいたく狭小なる平家なりしも、技術優秀を以て先客万来、特に陸海軍士官に高評を博し名声は日を追うて高まる」と述べている[4]。

　筆者の調査では明治10年代の丸木の顧客は、若い世代の軍人、官僚、学者、

華族の子弟などであったようである。例えば、本書の写真［NO.85］の像主で、公爵毛利元徳（1839-1896）の長子である毛利元昭（1865-1938）の青年期の写真は、明治10年代後半の撮影と推定される。この明治10年代までは、皇族や華族、社会の有力者は鈴木真一（1835-1918）や江崎礼二（1845-1910）などの写真館を利用していた。しかし徐々に、丸木の評判が高まるにつれ、より有力な者が丸木の写真館を利用するようになったようである。

　そして、明治20（1887）年5月24日に嘉仁親王（後の大正天皇）が近衛連隊兵営を訪問した際、親王と皇族、将校などとの集合写真の撮影に、丸木利陽が写真師として召されており[5]、明治20年代までに皇族や華族などの有力者の御用を受ける写真師となっていた。

　そして、翌年の明治21（1888）年に、大きな転機が訪れる。丸木は政府の依頼により、外国人画家のエドアルド・キヨッソーネ（1833-1898）が1月16日に描いたスケッチをもとにした明治天皇の肖像画を、キヨッソーネの指示に基づいて、撮影し、いわゆる「御真影」と呼ばれる写真を調製する［No.1］。この業績が、御真影撮影の写真師として、丸木の名を高め、地位の高い人物に長く重用される契機となった。

　そして、写真館のある敷地が、帝国議会の新しい議事堂用地になることが決定されたため、丸木の写真館は同年に芝区新桜田町の新シ橋の角（現在の東京都港区西新橋一丁目交差点付近）へ6月2日に移転する[6]。弟子の伊東末太郎が

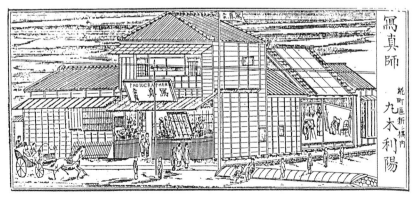

図1：明治13年に新シ橋内の元三条実美邸内に開設された写真館
（出典：『東京商工博覧絵』より）

図２：左は明治13年５月７日付の開業広告（出典：『読売新聞』より）
　　　右は明治22年に新規開業したときの建物の外観（出典：伊東家旧蔵資料）

中心となって編集した丸木利陽の履歴によれば、当時15万円をかけて300坪の石造りの写真館を建設した[7]。この写真館は丸木利陽が死去する大正12（1923）年まで35年間使用されることになる。同履歴によれば、写真館の１階には応接室と、廊下を隔てて暗室を兼ねた作業室、２階に写場があり、部屋の広さは１部屋10間くらいであったという[8]。写場はスラント（自然光を入れる斜めの天窓）を備えていたが、独自に開発した照明器具も設置されており、ある時点から夜間撮影も可能となった[9]。これらの写真館の外観、応接間、御真影を現像した部屋の写真などが現在も伝わっている[10]。

そして、翌明治22（1889）年には、写真師である鈴木真一と共に皇后の肖像を撮影し、前年に撮影された明治天皇の御真影と対になって、内外に広まっていくことになる。これ以降、丸木の写真館は皇族・華族や高官などに、より一層利用されることになり、顧客としては、主要な皇族の他、本書に掲載された人名だけでも伊藤博文、山縣有朋、松方正義、西園寺公望、井上馨、板垣退助、三条実美、榎本武揚、岩崎彌之助、三井高棟（たかみね）、益田孝、中上川彦次郎、福澤諭吉、勝海舟、金子堅太郎、副島種臣、佐野常民、山本権兵衛、児玉源太郎、山田顕義、鍋島直大（なおひろ）、岩倉具定（ともさだ）、山本権兵衛など、政・官・軍・財・学界の中心人物や、五世中村歌右衛門や七世松本幸四郎など、文化や芸能と関係する人物も含まれ、日本でも指折りの写真師となる。また、開設時期は定かではないが、

朝鮮半島の仁川(インチョン)にも支店を開設している。

　丸木の弟子であり、後に富山市に「ネギシ写真館」を開業する、根岸栄一郎が遺した回想録によれば、１年の中で写真館が最もにぎわうのは、四方拝（元日）、紀元節（２月11日）、天長節（９月22日）であった。これらの日に宮中に参内する華族や政治家、官僚、軍人などが丸木の写真館に立ち寄り、記念撮影を行うことが多かった。こうした時は、客にはサイズだけを聞くだけで、値段などを告げることはなかったという。丸木による撮影の様子について、別の史料にある証言から確認したい。

　明治40（1907）年頃に丸木の写真館を訪れた作家の内田百閒(ひゃっけん)（1889-1971）は、回想の中で次のように述べている。

　　　私が、まだ制服制帽を脱ぎ捨てない前、一度この姿を写真に取っておきたいと考えた。田舎にゐる時から名前を知ってゐる偉い写真師が東京に二人ゐる。小川一眞に丸木利陽である。それで私は丸木写真館に這入って行った。

　　　見本をみせられたりするのは、普通の写真屋と変わったところもなく、それから導かれて暗い陰と明るい光線とが嶮しく離れ離れに散らかってゐる撮影室に這入った。全身像なので、起立して、向こうを向いてゐると、顔の向きから顎の引き方、手の平を外へお見せにならない様に、こちらの肩をも少し落として、あ、お指をさうお曲げになると、又、おつむりが左へ傾きましたと丁寧に直してくれて、後は無言で脇や膝の小皺を伸ばして、さうした手を、そうっとその儘(まま)の高さで引きながら、後を振り返りつつ、写真機にかぶせた黒い布の中にもぐり込んだ。

　　　その男が、人の見えない所で、何かことことやってゐると思うと、又黒布から出て来て、撮影室の壁に沿って歩きながら、私の立ってゐる横の、黒い幕の垂れた入口から、何処かへ行ってしまった。

　　　私はそれを横目で見ながら、顔を動かす事も出来ない。人をこんな窮屈にしておいて、行ってしまっては困るよと云ふわけにも行かず、第一そんな勇気はないのである。ただっ広い部屋の片隅に、一人残されて、もとの儘、身動きもせずに一所を見つめてゐると、さっきの入口にさらっと云ふ音がして、何だが黒い物が動いた様である。私のせい一ぱいの横目が届く

ところまで来たのをみると、黒紋附に袴をかけた大入道である。成程人をかう云ふ風にしておいて、それから大先生が出て来るものである。私がわざわざ写しに来た丈の事はあったと感心しながら、前に廻った大写真師の風貌をまともに眺めた。

　丸木利陽自身は私に一揖した。私は尊敬の念を懐く事にかけて人後に落ちないけれども、気儘に自分の身体を動かせない起ち場なので、単に目礼を以て之に答へた。丸木氏が向うの黒い布の中に、御自分の大入道をかくし、何かを一寸やって、ぢきに外に出て来た。ぱちりと鳴ったか、黒い蓋をレンズの前から外して、数を数へたか、さう云う事は忘れてしまった。
（内田百閒「写真師」より[11]）

　当時、東京帝国大学文科大学の学生であった内田が丸木の写真館を訪れた様子が、細かい心理描写を含めて描かれている。内田は岡山市の出身であるが、地方在住時の10代の頃より小川一眞（かずまさ）（1860-1929）とともに丸木利陽の名前を聞き知っていたことが記されている。丁度同じ時期の明治39年に発表された夏目漱石の『坊っちゃん』においては、「ゴルキが露西亜の文学者で、丸木が芝の写真師で、米のなる木が命の親だろう。」という一文がある。語尾が全て「キ」となる語を並べた、言葉遊びの一節であるが、これらの文学作品からも、丸木が当時既によく知られた人物であったことがわかる。

　内田の回想では写真館に入ってから撮影までの一連の過程を把握することができる。撮影の過程は、一般の人物であれば、写真見本を確認し、それから撮影に入り、最初は弟子が撮影の角度や姿勢を決め、衣服などを直し、その後丸木本人が撮影を行った。また、帝国大学の学生であったとはいえ、20代の前半の若者が顧客であっても丸木が在館している場合は、本人が撮影を行っていたようである。しかし、内田の文面からは、丸木自身はあまり顧客に語りかけることはなく、超然と撮影をこなす様子や、顧客からは一種の畏怖の念すら呼び起こす存在であった様子が伝わってくる。なお、価格の正確な体系は詳らかではないが、本書の資料［NO.143］によれば、明治37年当時、上等白金写真一式で３円であり、これは現在の貨幣価値に換算すれば２万円から２万5000円程度となろう。上等な写真一式を注文した場合は、ある程度高額な値段となっていたことがわかる。

このような丸木の撮影に関するエピソードは他にも残されている。本書の後半に掲載した、前述の根岸栄一郎の回想によれば、元勲の１人であった松方正義（1835-1924）の撮影に際しては、松方が丸木の指示にも関わらず、位置を左右一歩も動かずに、丸木を困らせたことが紹介されている[12]。また、閑院宮載仁親王（1865-1945）[NO.113] も、丸木の写真館を利用する常連の顧客であったが、ある時、閑院宮が丸木ではなく、小川一眞の写真館で写真撮影を行ったものの、仕上りが気にいらず、丸木の写真館に連絡し、いきさつを話した上で撮影を依頼した。しかし、丸木は不機嫌になり、対応した弟子に、丸木は宮中に参上しているので、お断りするようにと伝えたという。閑院宮は当日の撮影はあきらめ、後日改めて丸木の写真館で撮影し、全紙サイズ相当の写真を納めた。この逸話は、丸木の自尊心の高さを窺い知ることのできるエピソードと言えよう。

また正月元日の四方拝の日には、学習院の生徒で皇后のドレスの裾などを持つ、御裳捧持者の役割を担う華族の子弟が撮影に訪れた。そして、天皇が大演習の出席のために、地方に行幸した場合は、女官が宮中の馬車に乗って金一封と菓子を持参して撮影に来たという [NO.72-75]。当時丸木の写真館と宮中は様々なつながりを持っていた。

2. 写真の特徴

丸木利陽が撮影した写真は、肖像写真が大部分を占める。場合によって、婚礼や葬送などの儀式を撮影することもあったが、多くを占めたのは、肖像写真であった。丸木利陽が撮影した肖像写真の特徴は、全体の構図やポーズが精緻に整えられ、極めて簡素で、派手さのない写真に仕上げることであった。肖像写真を構成する視覚的な要素は、大きく分けて２点ある。それは、像主自身とその背景である。まず背景については、西洋風の室内や調度などを描いた絵画を背景に撮影することなどもあるが、丸木利陽の写真館においては、女性や子供、皇族などの例を除いて、派手な背景画は用いず、極めて簡素な背景を用いることが多い。この点においては、比較的絵画調の背景などを多く用いた鈴木真一や江崎礼二とは異なっていた。

丸木が弟子として仕えた写真師の二見朝隈・朝陽の特徴とも考えられるが、丸木が天皇や皇族などの社会的に重要な地位にあった人物の写真の撮影を行っていたことを考えると、大蔵省印刷局の写真事業で撮影された写真との共通性を考えることができる[13]。

同局の写真事業は明治11（1878）年から19（1886）年まで、国の機関によって運営がなされており、全体的に抑制のきいた、簡素な構図によって政治家などの肖像写真を撮影している。代表的な事業としては、明治天皇の勅命によって始まった4500人余りの勅奏任官撮影事業で調製された写真である[14]。天覧されることを目的に撮影された写真であるためか、多くの写真は目を斜めに向けて、カメラを直視せず、畏まった姿勢で撮影されている。これらの写真全体の構図やポーズは丸木写真館において撮影された写真と共通点が多い。印刷局の写真事業は明治19年に終了するが、同局が担った、公的な役割を持つ肖像写真を調製する事業は、明治20年以降は丸木の写真館が受け継いでいくことになる。

丸木がこのような役割を担った理由は幾つかあろう。まず1つは前述したように、丸木が明治天皇や昭憲皇太后の御真影撮影を担った「御用写真師」となったことがあげられる。また、丸木が仕立てる写真の特徴から考えると、その肖像は、前述したように、構図やポーズを精緻に整え、抑制のきいた様式美の中で人物を写しだすことに長けていた。その特徴は、公に流布されることを意識し、場合によっては天皇の目に入ることも考え、より無難でオーソドックスな写真を望む上流階層のニーズとも一致していた。そして写真館の場所が宮城にも近く、宮中に向かう人々が行き帰りに写真館に寄りやすいという地理的な条件も理由としてあげられよう。このようなことを背景に、丸木は一時印刷局が担った、皇族や華族、有力政治家などの、社会の支配者層の肖像写真の撮影を一手に担っていくことになる。

しかし、丸木自身は必ずしも定式化された構図の写真を撮影することだけを望んでいた訳ではない。抑制のきいた表現の中でも全体の構図や被写体のポーズ、光による明暗表現において審美性を追求していた。丸木は明治38（1905）年の読売新聞の紙面において、最近の写真撮影について次のような所見を述べている[15]。

一般の写し方が大分変ってきた。以前何でもしゅんとして真面（まとも）に向かってしかめっ面を写したもので、美術思想などは少しもなかった。そこで写真師が、注文の外に自分の好みを写して、此の方が宜しくありませんかと言わぬばかりに、進呈した向きもあったが、近年はお客の方が巧者になって、しかめっ面した真面目な写し方よりも、花を持つにも、扇を携えるにも美術的な変化を現すと云う注文が出るので、写真師の方でも大いに写しやすくなってきた。上流の好みでも3枚取るなら2枚、しゅんとして行儀よく写し、1枚姿勢の変化を写して慰みに供する傾向がある。
　（「読売新聞」明治38年7月30日第3面より）

　この所見から、丸木が必ずしも固定化されたポーズの写真を撮影するだけではなく、より美的な感覚をとりいれることに注力してきたことがわかる。また、丸木は顧客をおおまかに一般と上流の2つに分けている。そして両者とも明治の始めは顧客の方が、より定式化されたポーズや構図による肖像写真を希望していたため、丸木などの写真師がより柔軟なポーズをつけた写真を提案していたようである。しかし明治の後期になると、一般の顧客がより柔らかいポーズを意識するようになり、さらに皇族や華族などの上流階級も3枚に1枚は、より変化のある姿勢や構図で写真を撮影するようになったようである。そのため本書などに掲載した皇族・華族などの写真は、明治の中頃までは固いポーズが多いが、後年になるとより柔軟な構図をとるようになっており、それらの具体例を垣間見ることができる。例えば［NO.97, 99, 100］の写真などは、構図や背景画の使い方が格式ばらず、よりやわらかい印象を与える写真となっている。

　また丸木が、抑制的で精緻でありながら、美的な感覚も重視したイメージ作りを実現する上で、重きを置いた手段が光の使用法であった。初期の丸木の写真では、なるべく光をあて、顔がクリアに見えるようにライティングを行っている。ただし、顔の向きについては、正面向きであることは稀で、多くの人物は横や斜めを向いて撮影している。そして、顔の片側に光をあて、鼻筋と、光とは反対側の頬の輪郭を目立たせている。そのことにより、顔が平板になることをさけ、目鼻立ちをはっきりさせる効果を出している。

　丸木は光の使い方について、前述の読売新聞の記事では「総じて顔などを写すには、光線の取り方は実に難しい。天井に張りきった幕をわずか四五寸あけ

るばかりであるが、その光線を利用をする手加減は実に玄人と素人のわかるところ、随分うまくゆかないところだ」と述べている[16]。

　弟子の根岸の回想によれば、丸木写真館における写真撮影は、丸木と撮影技師長（主任）によって行われていた。撮影にはカメラの扱いの他、自然光を採り入れる窓に付けられたサイドスクリーン、ヘッドスクリーン、光を反射させるリフレクターの使い方をマスターし、採光と構図を考える必要がある。技師長が採光の基本設計を行うが、丸木が客の後ろにまわって指示を出し、それに従って技師長は、客の頭の前後と左右を直した。その上で丸木が機械の横にたち、すぐに絞りをいれ、その瞬間にピントをあわせて撮影したと述べており、自然光の使い方が撮影の要であったことがわかる。

　そして、明治30年代以降になると、レンブラントライティングと呼ばれる手法をとりいれ、より絵画的な表現に近い肖像写真を撮影する。レンブラントライティングは、顔に対して斜め45度の角度から光をあて、顔の半面を明るくし、反対側の面を暗くするが、暗い側の頬の上部にハイライト（明るい部分）を設けることに特徴がある。また背景は光と影が淡い色調の中で交じりあったようなイメージで構成し、焦点を像の中心にあてながら、周辺部分はややぼかすことで、被写体の顔や体が、光と影の中から浮き上がってみえるようなイメージを形成する。その代表的な写真が、［NO.77, 79, 90, 91, 101］などである。この手法は弟子の前川謙三が米国に留学した時に本格的にもたらされた技法で、明治30年代後半から、丸木の写真館に取り入れられるようになる。また大正期には、米国から帰国した人物を技師として招き、光源を2つ用いるダブルライトを取り入れるなど、常に海外の最新の技法を取り入れていた[17]。

　技法などの点で、上述のような変遷はあるものの、丸木利陽が撮影するイメージは、抑制のきいた静的な人物像の中にも、目鼻立ちと顔の輪郭をはっきり表出させた上で、目を見開き、強い意志を感じさせる肖像を撮影する点では一貫していた。さらに明治の後半からは、顔と身体とを柔らかな光と影のコントラストの中に浮き出せるように見せるイメージが形成された。またこうした写し方は男女において違いはないが、女性においては背景に絵画調のものを使用する頻度が高いことや、男性ほど目を見開いて強い眼差しを向けることはせず、むしろ目線を下げ気味に写した写真が多い点などが特徴である。

そして、明治後期から大正にかけては、撮影技術などの点において、様々な工夫がなされる。その1つが出張撮影時におけるカメラの使用法やライティングの使用法である。根岸によれば、明治40年代当時は、丸木の写真館ではあまり引き伸ばし機などを用いず、注文写真のサイズにあわせた暗箱を用いた。そのため、出張撮影などを行う場合は、各サイズに応じた暗箱を持っていく必要があり、来日した英国のコンノート公（アーサー・ウィリアム・パトリック・アルバート）(1850-1942) の撮影のために霞ヶ関離宮に向かう時は、股の間に暗箱をはさみ、人力車で霞ヶ関離宮に向かったという。また、伊藤博文 (1841-1909) が朝鮮国王高宗 (1852-1919) の世子である李垠 (1897-1970) を伴って日本に帰国した際に、帝国ホテルにおいて撮影を行ったが、その時はマグネシュームを袋に入れ、レリーズで発火させ、袋を外に持ち出し、煙を除去した上でまた撮影するといった形式をとった。撮影後は、多くの写真については乾板に薬品を塗布し、シミや皺などの部分を鉛筆でレタッチすることによって、それらを除去する修正を行った[18)19)]。

　また、使用する印画紙、乾板、台紙といった材料についても様々な工夫や試みが行われている。明治40年代から大正の初期にかけて用いられた印画紙は、POP紙[20)]を経て白金紙[21)]になっており、日光で焼付を行っていた。焼付場は屋外のスノコの上に枕木を並べその上に焼枠を置き、焼枠には直接日光が当たらないように薄い紙をはっていた。その後は室内の天窓に取り付けられたスラントのような曇り硝子の下で焼付けるようになった。

　印画紙の焼込みについては30～40枚を朝9時頃より午後2～3時迄に、1枚の原板（ネガ）あたり8～9枚位ずつ焼付を行う。焼き付けの終了後に、新入りの弟子は、仕上げの準備にとりかかり、主任が仕上げの監修を行った。焼付けが終った後に、各種の液を使用するが、最後はハイポーを用いる[22)]。ハイポーからあげた後は、水洗台の上に全紙のバットを2個並べ、向い合って左右から相互に水洗する。水は水道ではなく井戸の水を用いた。裁断は定規を用いて行い、その後に糊を用いて台紙にはりつける。糊はコンスターチ[23)]7分にうどん粉3分の割合で作成したが、これらは暑い季節に印画紙と台紙の間で糊が腐敗し印画紙が変色する事を防ぐためで、沸騰する一寸前に火より降し、よくかきまぜて完成させた[24)]。

材料は、撮影用乾板[25]については主に小西六[26]からイーストマン[27]の製品を仕入れていたが、納品されると箱に耳をあてて振り、破損をしていないか調査を行い、破損していた場合は取り替えた。また、台紙については春にドイツに注文すると秋くらいに大きな箱2～3箱に詰められて送られてくる。よい台紙については丸木写真館の近隣にあった桑原台紙店に見せて研究をさせたという。台紙は多めに入っているため、夏の休暇時に門生が集まり、自分のネームを入れ、ライオンの装飾までいれて、台紙を自由に作成していた[12]。

3. 写真館とメディア

丸木は皇族や華族を始め多数の高名な人物の肖像写真を写したが、それらの肖像写真を新聞や雑誌に掲載する場合は、各社から丸木写真館に依頼があり、弟子が中2階のネガ室にある種板を探し、それらから焼きまわしをして提供していた[28]。

徳冨蘆花（1868-1927）が明治31年に発表した小説「不如意（ほととぎす）」は、海軍軍人に嫁いだ主人公浪子が結核を理由に離縁されて、失意の中で死を迎えるという内容の小説であるが、そのモデルとなったのは、大山巌（1842-1916）の子である信子であった。信子は後年日本銀行総裁になる三島彌太郎（1867-1919）と結婚したが、後に結核となり、離縁後20歳の若さで亡くなっている。この信子をモデルとした「不如意」は当時人気を博し、信子への社会的関心も高かった。

丸木の弟子である根岸栄一郎の回想録によれば、同氏が奉公をしていた頃、実業之日本社の創立に関わり、社長となった増田義一（1869-1949）[29]が信子のネガを探してほしいと何度か根岸に依頼をした。当時、写真の原板は中2階の原板保存室に保存されていたが、原板は和紙に、年月日が明記されてくるまれていた。あるとき、明治27～28年の頃の原板を探していると、偶然信子の原板を見つけ、これを焼き付け、増田に渡している。保存されているこれらの顧客の原板の中でも、天皇・皇族関係の保管庫は別であり、宮内省から支給された原簿に基づき管理され、役所の定期的な検閲があったと言う[30]。

また、大正2（1913）年に華族500家あまりの家の成り立ちと当主や家族を写真で紹介した、一種の紳士録である『華族画報』[31]が出版されるが、本書の

出版人である杉謙二[32]も、毎日のように写真館を訪れ、皇族や華族の承認書や戸籍謄本まで持参して、複製の依頼に訪れていた。『華族画報』には各家の成員に関する、写真が多数掲載されているが、これらも丸木の写真館を通して掲載されたものも多かったようである。さらに、明治30年代より各種の画報雑誌が創刊されることになるが、これらの画報に掲載された写真の中にも丸木の写真館から提供された写真も多数含まれていたことが十分に考えられる。

また、丸木の写真館で著名人の写真の撮影が行われると、人々が、それらのイメージを一種のブロマイドのようなものとして、写真館に買い求めることもあった。明治23（1890）年7月27日の読売新聞によれば、衆議院議員の芳野世経（よしのつね）（1849-1927）が丸木の写真館で肖像写真を撮影すると、それを求める多くの人が丸木写真館に写真を注文していると伝えている[33]。

また、丸木の写真館では他の写真館が撮影した写真の複写なども請け負っていた。乃木希典（1849-1912）は殉死をする日の朝に、自らと妻の写真を撮影させているが、この写真の撮影は当初丸木に注文があった。しかし、丸木が宮中において用務があったため、赤坂の秋尾写真館[34]が撮影を行っている。乃木の殉死後、この写真の複製を必要とした新聞社は、丸木の写真館に数千枚の複製を依頼した。また、明治天皇の崩御後、天皇が演習時に地図を見ている写真が多く流布されたが、この写真も新聞社の依頼により、丸木の写真館で、数万枚が焼き付けられた[35]。

またさらに、大正期になると様々なニュースを伝えるグラフ雑誌が登場するが、その中の一つである『歴史写真』では、丸木は黒田清輝や小川一眞とともに顧問に就任している[36]。同誌においては、明治時代に丸木が撮影した肖像写真などが、複数回掲載された。このように、丸木は多数の社会的に影響力のある人物の写真原板を保存していたため、必要な時にそれらを各種のメディアや市民に提供し、複製を製作することで、高名な人物の肖像イメージを市井に流通させる機能を有していた。

4. 皇族の撮影と宮内省調度寮嘱託業務

丸木は写真館を訪れる顧客だけではなく、宮中や宮家にて、天皇や皇族の写

真を撮影する機会が多数あった。本書の第Ⅰ章に掲載した写真などがその代表例である。弟子の根岸の回想録では、根岸自身が関わった大正天皇の撮影について思い出が記されている。大正元（1912）年に大正天皇は、明治天皇の大喪に参列するために来日したコンノート公より、ガーター勲章を贈呈される。その時丸木は霞が関離宮において、コンノート公アーサーを撮影した後に、ガーター騎士団の正装を着用した大正天皇の姿を青山の写場で撮影している［NO.10］。

　このような大正天皇の撮影を行っていたある日、伊藤博文の子息で、宮内省にて式部官長などを歴任した伊藤博邦（ひろくに）が傍に仕えて天皇の勲章などを直そうとしたが、天皇自身が丸木に任せておけばよいと伊藤の行為を止めさせることがあった。天皇の姿を写した写真を現像した写真は床の間に注連縄（しめなわ）を張り、乾燥をさせた。御真影が完成した日などは食堂において弟子などに食事などが振る舞われることもあった。

　また、天皇や皇族などの写真を宮中に撮影に行く場合、宮中に入る前に消毒を行う必要があったため、大きな消毒室に入ることもあった。また、宮中正殿の各部屋を撮影中に、天皇が散歩のために近くを通りかかることがあると、身を隠すことを求められ、廊下の隅に入り込んだことがあったという。

　さらに、丸木は大正2（1913）年に画家の黒田清輝（1866-1924）、小川一眞とともに、調度寮の嘱託員となり、大正天皇や皇后の御真影の他、その他の皇族の写真を撮影する役割を担った。これは、翌大正3（1914）年の秋に大正天皇の即位の大礼が実施されるのを控え、翌年の春には天皇や皇后の御真影が必要となったからである。既に述べたように、丸木は明治天皇と昭憲皇太后の御真影を撮影しており、2代に亘る天皇の肖像写真撮影を担うこととなった。御真影の調製を担当した3人の中で、黒田は画家であったが、自らもカメラを持ち歩き撮影を行うなど、写真への造詣も深かった。また、画家が責任者に任用された背景について、丸木の自伝を記した光山は、次のように述べている。

　　　御撮影御用命が決定すると、先づ写真師は皇室御用係を任命。撮影期間
　　　中特別の許可にて文官待遇となり、御真影の折画家が位置をつけて両陛下
　　　の御姿をお直しする。写真師は助手を一人も使えず、ただ写真機にて撮影
　　　のシャッターを切るだけである。若し写真師がその御姿に対してご注意申

し上げたい場合は、いちいち画家へ頼み、画家が御直しした後御撮影する。しかもたった一枚御撮影するだけなのである。

　こうして御撮影後の写真原板から仮焼した印画紙の何枚かを、画家がその気に入った印画紙に絵具で描き起こし、それを複写した後、写真師が焼付けて仕上げるという厄介な仕事をさせられた。また直接撮影の原板は宮内省へ永久保存となっていた。

　　　　　　　（光山香至『丸木利陽伝―福井生れの明治の代表的写真師』[4]）

　光山が記した丸木利陽の伝記は、師であった米山から聞き伝えられた情報などを主としており、検証すべき点もあるが、実際に御真影調製の統括役であった黒田清輝の日記からは、画家である黒田が様々な点で先導的な役割を果たしている様子がわかる。

　「黒田日記」によれば、黒田と丸木と小川の3名は、宮内省調度寮の嘱託を任命された大正2（1913）年の秋から翌年の春にかけて数回会合を持っている[37]。その間に、黒田は皇居内の御写真場の建設地選定のために宮城に行くとともに、丸木や小川とともに台紙についての打ち合わせをしていた。その後、昭憲皇太后の崩御によって、即位の大礼の挙行と御真影の撮影は延期されることとなる。しかし、3人の活動はその後も継続し、6月以降は複数回試験撮影を行い、新しい写真場の建設を進め、翌年の大正4（1915）年には、技師やカーボン紙の選定を終えている。そして御真影の撮影前には、「御姿勢参考写真」を作成し、寮頭に提出するとともに、修正を行う技術者への講習を重ねている。その上で、同年6月に大正天皇の御真影の撮影を実施した。撮影までの間の用具の選定や、撮影後の採用写真の決定と、最終的な修正などを黒田が行い御真影を完成させた［NO.11］。

　皇后の撮影については、ご懐妊などの都合で1年間撮影が延期されたため、翌大正5年3月頃より撮影の準備を始めている。黒田を中心として、丸木と小川をあわせた3名で、3月6日に写真撮影に関する意見を寮頭に述べ、準備を始め、同月中には、黒田、小川、丸木がともに掛幕や背景などについて相談している。さらに、3人は赤坂離宮にて御真影用の椅子を選定するとともに、紅葉山の御写真場において掛幕の位置などを指図する。その後、黒田と小川などを中心に、テスト撮影や衣裳の仮撮影などを行った上で、7月5日に皇后の

撮影を行っている。撮影後は御写真工場において、仮焼見本を検査し、佳品を選定した。

　一方、その最中に丸木家を不幸が襲う。丸木利陽の長子である利雄が大正5（1916）年7月21日に急逝したのである。黒田の日記には、7月23日に丸木家に対して、お悔みの連絡を行い、24日には丸木家の葬儀に参列していることが記されている。丸木は、仕事の上では2代に亘る天皇及び皇后の御真影の撮影に関わるという栄誉を受ける一方で、個人の生活においては、最愛の長子である利雄を失うという悲劇に見舞われることになる。

　その後も皇后の御真影の調製は黒田を中心に進められ、8月18日に修正を施した見本が調度寮に提出され、寮頭、皇后職、御用掛立ち会いの上で、御真影が決定された。その後に、黒田は小川と丸木と会合を持った上で、選定済みの分に補筆を加えた。そして、8月22日には補筆をして取り揃えて黒田、小川、丸木とともに調度寮に改めて提出し、8月28日に御真影の見本が決定された。改めて9月11日に黒田、丸木、小川の3人が御真影について協議を行い、その結果を黒田が寮頭に面会をして報告し、手指の部分の最終補筆を行って貞明皇后の御真影は完成した。

　このように、黒田、丸木、小川の3人は連携し、天皇と皇后の御真影の撮影の役割を終えた。統括する役割を果たしたのは、黒田であったが、台紙や背景、調度の選択や修正などの調製に関する過程や、撮影自体においては丸木や小川が関わっていた。丸木は貞明皇后の御真影を撮影したこの時期に、人生最大の栄誉と悲しみを同時に経験した。

5. 丸木利陽の死と丸木会

　このように、明治から大正にかけて活躍した写真師丸木利陽であったが、大正5（1916）年に長子の利雄が死去した後は、気落ちすることも多かったと伝えられる。そして、利雄が亡くなってから7年後の大正12（1923）年の1月21日に、利陽自身も68歳で死去し、東京赤坂の報土寺の墓所に埋葬された。写真館はその後も技師や弟子らによって営業が続けられていたが、同年9月1日に起きた関東大震災により、東京は大きな被害を受けた。写真館が倒壊すること

はなかったが、同地が震災後の都市計画整備にかかることになり、写真館は閉店することになった。丸木の写真館は店の暖簾を下ろしたが、写真館に勤めた弟子たちが開業した写真館は日本全国に広がっていった。

　特に、明治末から大正にかけて、写真館で年中行事（正月）や人生儀礼（七五三、結婚、卒業）にあわせて記念撮影を行うことが一般市民に浸透していた。丸木の弟子は各地域における市民のための写真館の担い手となり、特に地方においては、富山の根岸栄一郎のように、地方の写真館界の中心となった。

　また、国内・内地だけではなく、外地、海外でも写真館が設立された[38]。無論、全ての地方で丸木の弟子達が中心的な役割を果たした訳ではない。しかし、弟子の１人であった伊東末太郎は、全国の写真館をまとめる日本写真文化協会の会長に就任し[39]、山本達雄は小西六に入社して全国の営業写真師に対する技術的な指導などを行う。また、前川謙三は丸木がその創設にも協力し、大正４（1915）年に設立された東京美術学校（現在の東京藝術大学）臨時写真科の講師の他、東京写真専門学校（現在の東京工芸大学）の講師となるなど、写真館を中心とした写真界を成長させていく人材輩出に寄与した[40]。特に後者の東京写真専門学校には全国の写真館の子弟が入学し、写真技術を学んだ。また東京美術学校の臨時写真科の１期生には、後に新興写真運動の担い手の１人となる中山岩太（1895-1949）などが在籍し、芸術写真の分野を開拓していくことになる。

　また、弟子の１人である小川晴暘（せいよう）（1894-1960）は、仏像を対象とした写真を専門に撮影するなど、異色の存在であった。晴暘が実践した、誰もが知る国宝・文化財級の公共的な「シンボル」を撮影し、社会に流布するという仕事は、天皇や皇族という「シンボル」に対して丸木が行っていたことを、対象をかえて継承したとも言えよう。

　このように、様々な分野で活躍した丸木の弟子達は丸木会と呼ばれる同窓・互助組織も結成していた。同会は写真撮影や経営に関する公的な研究会などが催されたわけではなく、同窓会的な性質であり、月１回程度の会合の他、地方の会員のもとを訪れる旅行などを実施している。丸木会の写真館相互の互助的機能は、伊東が先導した日本写真文化協会などにも引き継がれ、同会の活動を通して、丸木利陽が育てた人材や教えは、戦後の写真館の発達に貢献すること

表1：主な丸木会の成員[41]（その他、地方や海外に多数存在）

氏名	住所（昭和30年代）	備考
望月東涯	千葉市　蘇我今井町	写真館開業。現在は閉店。開業地は文京区本郷。
井口義雄	文京区　小日向	写真館開業。現在は閉店。現在「井口ビル」という名称が残る。生前は丸木会の中心的存在。
井口　誠	文京区　小石川	写真館開業。現在は閉店。
米村清治	北区　西ヶ原	写真館開業。現在は閉店。ウラジオストックでも開業。光山香至の師。
伊東末太郎	中央区　京橋	写真館開業。現在は閉店。日本写真文化協会会長。
前島吉彦	港区　白金	写真館開業。現在も子孫が撮影事業を行っている。
有馬多可雄	港区　赤坂新町	写真館開業。現在は閉店。
前川謙三	横浜市　港北区篠原町	写真館開業。現在でも子孫が営業をしている。アメリカに留学し、レンブラントライティングの技法を持ち帰る。東京美術学校及び東京写真専門学校講師。店舗は弁天町で開業するが現在の店舗は東急東横線反町駅近くにある。
吉田公英	板橋区　上板橋	写真館開業。現在は閉店。
矢島善吉	台東区　下谷金杉町	写真館開業。現在は閉店。
小林治朗	墨田区　千住	現在でも関係者が営業をしている。
成瀬　純	品川区　大井	写真館開業、本写真館で昭和50年代頃まで丸木会の会合があった。現在は閉店。
兼子敏夫	江戸川区　小岩町	写真館開業。本家とは別に次男が独立して近年まで写真館を営業していたが、現在は閉店。
山本達雄	神奈川県　中郡	開業はせず小西六に勤務。各営業写真館を指導。
根岸栄一郎	富山市　総曲輪	写真館開業。現在でも子孫が写真館を営業している。
小川晴暘	奈良市　奈良公園	奈良を中心とした仏像の写真家として高名になる。現在でも小川が設立した「飛鳥園」が営業をしている。

になる。

6. 丸木利陽と明治の相貌

　丸木は40年余の長い間、写真師界の中で中心的な役割を担い、その地位を向上させた。丸木利陽の写真界における役割を振り返れば、黎明期における上野彦馬（ひこま）（1838-1904）や下岡蓮杖（しもおかれんじょう）（1823-1914）、そして東京と横浜において肖像写真を普及させ、天皇や著名人の肖像の撮影などを担った内田九一（1844-75）、江崎礼二、清水東谷（とうこく）（1841-1907）、鈴木真一や印刷局の写真事業の次の世代を担う役割を、小川一眞などとともに果たした。前の世代が当主の早世や代替わりなどによって、必ずしも安定的な写真館営業が継続しなかったのに対して、丸木は小川とともに、明治20年代から大正時代に至る、日本が著しく発達を遂げた時代に、継続的なイメージ生産を行う役割を担った。特に丸木は天皇・皇族を始め、日本を代表する人物の肖像写真を一手に引き受けたため、丸木の写真館が形成したイメージが、明治を代表する日本人の風貌を内外や後世に伝える役割を果たした。

　丸木の写真館が生産したイメージの特徴は、精緻で整った「型」の中に人物像を納めながらも、ポーズや全体の構図、光の使用方法において、様式美を追求する"絵作り"を心掛ける点にあった。そうした意識を持つことが、明治天皇の御真影を調製する際のキヨッソーネとの共同作業や、大正天皇の御真影を調製する際の黒田清輝との連携を可能とさせていた。そして、一種の格式や型を重んじながらも、より自由なポーズや斬新な構図で美意識を体現していく姿は、封建的な気風が色濃く残りながらも、少しずつ近代的な個人としての自由や自我を育んでいった明治の精神的な変化と通じるものがあった。

　しかし、明治が終わり、写真における人物表現も、そうした抑制された中で、審美性を表現していく技法だけではなく、より自由で人間の情感を前面に出した表現も多数創出されていく。それとともに、大衆の象徴的なシンボルも、皇族、華族や軍人から女優や歌手などの写真へと変化していった。そのため、丸木の写真館が実践したような技法や写真は、公的な地位にある人物や、地域の写真館における肖像写真撮影など、正統的なイメージ作りが求められる現場に

継承された。

　丸木の写真館が明治・大正期に撮影した写真は、封建時代から個人の自由が重視される近代社会へ移行する狭間の中で生きた、明治の人々の精神性を反映する「シンボル」であったと言えよう。しかし、そのシンボライズの方法も、一定不変のものではなく、明治の初頭から大正の末までの間で常に変化し、肖像写真の人物表象も40年余の中で大きく変化を遂げた。

　そして、丸木が生きた時代の後期にはいわゆる「芸術写真」が台頭し、その後はより写真独自の芸術性を追求する動向が顕著になった。丸木は、写真界においてより美的な観点から「写真作品」を生み出す、こうした新しい時代の流れを用意した１人でもあった。被写体の構図や光、印画紙や台紙の色やデザインが総合的に考えられ、撮影者の名と共に社会に流布された丸木の写真の一部は、本書の副題が示すように「作品」としての認知を受けていた。さらに、東京美術学校臨時写真科の創設にも関わり、写真の芸術性や作家性を重視する人材を育成することで、丸木は写真撮影の担い手が「写真師」から「写真家」へと広がる契機をつくった。

　このような背景を考えると、丸木利陽が撮影した多数の肖像写真を概観し、その変化を捉えることは、肖像写真の表層的な変化を捉えることではなく、明治から大正にかけてこの国でおきた、個人の美意識や、イメージ文化の変化を読み解くことにもつながるのである。

　註
1）東京の丸木家、福井の竹内家に伝わる逸話である。
2）一部の文献には「旧相馬藩邸」とあるが、正しくは元真島藩邸でその後三条実美の邸宅となった敷地内に開業した。読売新聞明治13年５月７日に丸木自身が出した開業広告の中で開業地を「新シ橋内三條公邸内」とある。同写真館は後に国会議事堂の建設によって立ち退くが、相馬藩邸にあった場合、同地は内堀通りを挟んで反対側であるため立ち退きの必要はない。一方で元三条邸は国会建設用地にあたるため、最初の開業時は元三条邸である。
3）深満池源次郎『東京商工博覧絵』第一編、1885年、（個人蔵）
4）光山香至『丸木利陽伝―福井生れの明治の代表的写真師―』1977年
5）『読売新聞』明治20年５月27日、第３面
6）日本写真協会『日本写真界の物故功労者顕彰録』1952年、及び註４）と同。

7 ）伊東末太郎・有馬多可雄・伊東敏夫「丸木利陽　履歴　（『故　丸木先生』より抜粋）」、本書、181頁
8 ）島村利正『奈良飛鳥園』新潮社、1980年
9 ）註4 ）と同。
10）丸木家関係資料：丸木家に残る丸木利陽関連の資料
11）内田百閒「写真師」、『内田百閒全集』第四巻、福武書店、1987年
12）根岸栄一郎、「回想手記『丸木時代の想出』」、本書、169〜180頁
13）独立行政法人国立印刷局　お札と切手の博物館編『お札と写真術展』お札と切手の博物館、2010年
14）宮内庁三の丸尚蔵館編『明治十二年明治天皇御下命「人物写真帖」』、宮内庁、2013年
15）読売新聞、明治38年7月30日、第3面
16）註15）と同。
17）註12）と同。
18）註4 ）と同。
19）前川家資料：丸木の弟子であった前川謙三が遺した資料。
20）POP紙：Printing Out Paper の略で一般に「ピーオーピーシ」と読む。アリスト紙と呼ばれる印画紙の一種で、写真を焼き付ける印画紙の一種。日本でも明治20年代より使用された。丸木写真館でも明治時代は広く使用されていた印画紙である。後に出る白金紙と比較すると、印画の耐久性が悪く、年月が経過すると像や色が落ちる傾向にある。丸木写真館でも明治の一時期に用いられていた。
21）白金紙：1873年にイギリス人のウイリアム・ウイリスによって発明された印画紙。プラチナの成分が含まれることで、印画の耐久性があり、深みのある画調になる。丸木利陽の写真館で用いられた「白金御写真」と呼ばれるタイプの写真は本印画紙を用いてものと考えられる。
22）ハイポー：写真現像に使用する定着液の1つ。硫酸ナトリウムとも言う。
23）コンスターチ：トウモロコシを原料につくられたデンプン製品。丸木写真館では台紙に写真をつける糊を作るときに用いられた。
24）註12）と同。
25）写真乾板：写真機の中に装着し、撮影した像を定着させるためのガラス板。像を定着させるための写真乳剤が塗布されている。乳剤が乾いているため「写真乾板」と呼ばれる。「写真乾板」以前に使用され、乳剤が湿っているうちに撮影する必要のあったものは「湿版」と呼ばれる。
26）薬種問屋であった小西屋六兵衛が明治6 （1873）年に創業した写真関係商材を扱う商社。後に小西六写真工業株式会社となり、昭和62（1987）年にコニカ株式会社と社名を変え、2003年はミノルタ株式会社を完全子会社化し、コニカミノルタホールディングス株式会社となる。
27）イーストマン：ジョージ・イーストマン（1854-1932）によって1892（明治25）年に設立されたイーストマン・コダック社のこと。当時はカメラや写真乾板などを製造し

28) 註12) と同。
29) 増田義一:明治2 (1869) 年に新潟県に生まれ、東京専門学校(現在の早稲田大学)卒業後、読売新聞社を経て明治33 (1900) 年に実業之日本社を創立し、「実業之日本」「婦人世界」などの雑誌を刊行する。明治45 (1912) 年に衆議院議員となり政界に進出する。昭和24 (1949) 年に死去する。
30) 註12) と同。
31) 杉謙二『華族画報』東京画報社、1913年 (2011年に吉川弘文館より復刊されている)
32) 杉謙二:明治末から昭和にかけて様々な書籍を出版した出版関係者。『華族画報』の他、明治末から大正にかけて『明治大帝御画譜:附・御逸事集』や『即位記念 日本有名誌』などを発刊している。
33) 『読売新聞』明治23年7月27日、第2面
34) 秋尾写真館:写真師の赤尾新六が東京赤坂において開業した写真館。
35) 根岸家資料:丸木の弟子であった根岸栄一郎氏が生前遺した手記とアルバムを中心とする資料。
36) 研谷紀夫、月刊誌『歴史写真』と歴史のイメージ表象:―大正初期の『歴史写真』の誌面内容と「歴史写真会」の運営を中心に―、『風俗史学』54号、pp33-69、2013年
37) 黒田清輝『黒田清輝日記』第三巻、中央公論美術出版、1967年
   黒田清輝『黒田清輝日記』第四巻、中央公論美術出版、1968年
38) 光山香至『松平春嶽公とその周辺』しんふくい出版、1987年
39) 写真文化協会『昭和28年 写真文化協会 全国大会』日本写真文化協会、1953年
40) 註19) と同。東京藝術大学百年史編集委員会編、『東京藝術大学百年史 東京音楽学校篇』第2巻、音楽之友社、1987年
41) 伊東家資料:丸木の弟子であった伊東末太郎氏が遺した資料。

その他の参考文献は188〜189頁に掲載した。

［解説注記］
・年齢は満年齢で記載した。
・左右の向きについては、写真を閲覧する人からみた、左右の向きを表記した。ただし、右手・右足、右腕といった身体の一部と結びついた単語の場合は、写った人物からみた向きが表記されている。

I
天皇・皇后と親王

丸木家に遺された、天皇や皇族などを中心とした台紙付写真を入れた木箱。丸木の写真館は関東大震災で倒壊することはなかったが、震災後に転居した地において戦災に遭い被害を受けた。ただし、写真資料が遺されていた土蔵の一部は奇跡的に焼け残り、複数の写真資料が現在に伝わっている。本章に掲載された資料は丸木家に伝わる写真資料の他、海外で保存されている写真などを含め、丸木利陽が撮影に関わった天皇・皇后と親王の写真である。

I 天皇・皇后と親王

NO.1
明治天皇／明治21（1888）年

スミソニアン協会蔵

解説：本写真はエドアルド・キヨッソーネによって描かれたコンテ画を丸木が撮影した、「御真影」と言われる明治天皇（1852-1912）の肖像写真を、額装したものである。明治天皇の姿を初めて公式に写した肖像写真は、明治5年に内田九一によって撮影された束帯・直衣姿の写真である。当時欧米に派遣されていた岩倉使節団が、日本の若き君主の姿を欧米各国の君主や首脳に伝える目的で、明治天皇の肖像写真の撮影を依頼した。撮影には既に高名な写真師として知られていた内田九一が指名され、最初に束帯と直衣の姿を、その後洋装姿の肖像を撮影し、それらが明治天皇の御写真として世に広まっていった。

その後、明治も20年代となり、若き日の肖像写真と、壮年期後半の明治天皇の実際の姿の乖離が大きくなった上、大日本帝国憲法の発布を控え、近代的な立憲国家の君主にふさわしい新しいシンボルイメージが必要となった。そのため政府は新しい御真影の撮影を天皇に求めたが、明治天皇は写真撮影を好まず、撮影を許さなかった。そのため当時の宮内大臣であった土方久元（1833-1918）の発案により、天皇の容姿をひそかにスケッチして肖像画を制作し、それを写真で撮影することにした。

肖像画の制作は、イタリア人の版画家で、印刷技術などの指導のために来日していたキヨッソーネがあたることになった。キヨッソーネは明治21年1月21日に、明治天皇が芝公園内の弥生社を訪れた時に、奥の部屋から天皇の様子をスケッチし、それらを元に肖像画を制作した。その後、その肖像画をキヨッソーネの指示に基づいて撮影し、さらに原板などに修正を施し、最終的な「御真影」の写真を焼き付けた。これは単に複写をしたのではなく、様々な修正を施して理想の君主の肖像を創成する取り組みであった。

その後、丸木利陽の写真館では、公官庁や学校、軍隊など様々な機関向けに下賜する御真影の調製を、注連縄のつけられた、丸木写真館の中でも特別な部屋で行った。弟子の1人で、後に仏像写真を撮影する写真家として知られる小川晴暘は明治44年から大正3年まで同館に在籍し、御真影の調製を担当していた。

調製された「御真影」は、国内だけではなく、外交官や海外からの来賓にも贈呈された。特に、重要な人物への贈呈については、本写真にあるように、木彫などによる額に入れられて贈られていたようである。本写真は明治38年7月に陸軍長官タフト（1857-1930）と共に来日した、セオドア・ルーズベルト（1858-1919）の娘アリスに贈呈された御真影である。額の中の写真は、周辺部の像が希薄化しているが、その周りを飾るきめ細かい木彫りの額は、その壮麗さを今に伝えている。額の上部には菊の紋章が、下部には皇室の副紋として用いられている桐の花が彫られている。そして、明治天皇の「御真影」の額の内部には金箔が貼られた菊の紋章が配置され、写真の下部に、天皇の署名が入っている。この明治天皇の「御真影」は、1枚の写真が海外の君主や首脳に対して日本の権威を高める装置の1つとして、活用されていた様子がよくわかる資料である。

NO.2
昭憲皇太后／明治22（1889）年

スミソニアン協会蔵

解説：本写真は明治天皇の御真影を撮影した翌年に撮影された昭憲皇太后（1849-1914）の「御真影」を額装したもので、明治天皇の御真影とともに、明治38年7月に、セオドア・ルーズベルトの娘アリスに贈呈されたものである。昭憲皇太后の行動を記録した『昭憲皇太后実録』によれば、「御真影」の撮影は明治22年6月14日午前9時から11時までの間に仮建写真所で鈴木真一による撮影が行われ、さらに翌15日も午前10時から11時20分の間に丸木利陽による撮影が行われている。また明治22年7月19日の読売新聞によれば、撮影した写真は「玉冠を戴かせ御洋服立ち姿もあり又椅子に寄せ給ふもありて」とされ、立ち姿の写真と椅子に座ったものの2種類があることを記している。実際は、立ち姿と座った姿の写真はそれぞれ2種類あり、後ろの背景画や皇后の身装具の一部が異なっている。

各写真が、2日の内のどちらの日に撮影され、鈴木と丸木のどちらの写真師によって撮影されたか（あるいは2人の共同作業であるのか）は不明であるが、[NO.2]と[NO.4]は、テーブルクロスや花瓶の形、活けられた花の構成、さらに着用している大礼服が同一であるため、同じ日に撮影された可能性が高い。詳しい比較は別稿に譲るが、現状ではこの2日の間に立像2種類、座像2種類の4種類の写真が撮影されたことが確認されている。4種類の写真の中で、[NO.2]の写真は、全体としては、背景画の遠近感が前に置かれた実物の花瓶などと対応せず、不釣り合いな構図となっている。一方、同写真の机の上に目を向けると、そこには薔薇を活けた花瓶と八帖の和綴じの書物が置かれている。美術史家の若桑みどりは、『皇后の肖像』の中で、これらの書物は皇后の令旨で編纂された道徳書『明治孝節録』と『婦女鑑』であるとし、本図像には、これらの書物が示す道徳的な行為を奨励する意図が込められることを指摘している。そして、[NO.3]の写真は、[NO.2]とよく似ている写真であるが、背景や机の上の事物が異なっている写真である。本写真は明治神宮などに保存されているが、「御尊影」という名称で伝わっている。この[NO.3]の机の上に置かれた物品は、薔薇を活けた花瓶と漆の文箱と巻物などであるが、背景画はより簡素で、左の後方には大型の壺の一部が見え、右端には椅子の一部が見えている。この背景画を利用した座像の写真も確認されている。

さらに、[NO.4]は当時の新聞が記している「座像」であり、これまであまり公開されることのなかった写真である。本写真は長年に渡り、昭憲皇太后に仕えた香川敬三（1841-1915）の関係資料に含まれたものであり、この写真も皇太后の近親の者には下賜された可能性が高い。本写真には背景画が使用されず、机の上には、薔薇を活けた花瓶と巻物の他、置物が置かれ、薔薇の活けられ方は[NO.2]と共通点が多い。

これらの写真の中で、皇后の「御真影」として選択されたのは、[NO.2]の写真であった。そのため、天皇・皇后の御真影は、天皇は座像であり、皇后は立像という、当初より対称性の欠く組み合せで構成された。丸木は、明治天皇の御真影とともに、[NO.2]の皇后の「御真影」を仕立てる御用を担うことになる。そしてこの皇后の御真影は、近代国家における、「皇后像」を定着させるイメージとして、広く流布し、また丸木は天皇と皇后の「御真影」を調製することで、日本の代表的な写真師としての名声を得ることになった。

NO.3
昭憲皇太后／明治22（1889）年

香川擴一蔵

解説：御真影と同じ機会に撮影されたものであるが、背景画などが異なる肖像写真。明治神宮にも同じイメージが伝わっているが、これは「御尊影」と呼ばれている。机の上には、薔薇を活けた花瓶と漆の文箱と巻物などが置かれている。また背景画はより簡素で、左の後方には大型の壺の一部が見え、右端には椅子の一部が見えている。本書には掲載されていないが、同じ背景と衣装を用いた座像の写真も確認されている。

Ⅰ 天皇・皇后と親王　29

NO.4
昭憲皇太后／明治22（1889）年

香川擴一蔵

解説：御真影と同じ時期に撮影された写真であるが、御真影と異なり椅子に座っている昭憲皇太后の肖像写真である。当時の新聞報道では立像とともに座像の写真も撮影されたことが報道されているが、その写真が公にされることは極めて少ない。像主が座っている点において、明治天皇の御真影と視覚的な共通性はあるが、本写真は正式な御真影としては採用されず、［NO.2］の写真が選定された。本台紙の裏には「丸木利陽」の写真館を示すロゴが貼られている。

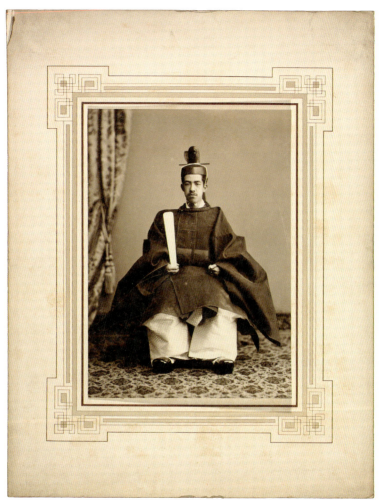

NO.5
皇太子　嘉仁親王（大正天皇）／明治33（1900）年

解説：明治33年に行われた、皇太子嘉仁親王（後の大正天皇）(1879-1926) の成婚時に撮影された写真である。撮影は青山の東宮御所内の御写真場で行われた。嘉仁親王は明治12年8月31日に明治天皇の第三皇子として誕生し、明治22年に立太子の礼を経て皇太子となった後、明治33年に公爵九条道孝の四女節子と結婚した。その結婚の儀は、現在の神前結婚式の原型となるものであった。束帯姿で笏を手にしている本写真は、皇太子妃の写真とともに、ご成婚の様子を伝えるイメージとして、多数のメディアに掲載された。

NO.6
皇太子妃　節子（貞明皇后）／明治33（1900）年

解説：節子妃（1884-1951）は明治17年に公爵九条道孝の四女として誕生する。華族女学校などで教育を受けた後、嘉仁親王（皇太子）の婚約相手として内定し、明治33年5月10日に結婚の儀をあげた。本写真は前頁と同じ、嘉仁親王との結婚の儀の時の撮影と推定される。五衣唐衣裳（十二単）を着用し、檜扇を手にしている。撮影場所は青山にあった東宮御所内の御写真場である。一般的には向って右向きの写真は知られているが、この写真のように左向きの写真は公にされたことが比較的少ない写真である。

32　I　天皇・皇后と親王

NO.7
皇太子妃　節子（貞明皇后）／明治30～40年代

解説：貞明皇后の皇太子妃時代の写真であり、容姿から明治30年代の撮影と推定される。結婚後の節子皇太子妃は、日々陪臣や賓客などと引見する他、健康状態が安定していた皇太子とともに日光や沼津の御用邸を訪れたり、公務の合間を縫って幸田露伴の妹で音楽家の幸田延より音楽を習うなど、様々な務めで忙しい毎日を送っていた。そして、明治34年には裕仁親王（昭和天皇）、翌年には雍仁親王（秩父宮）、同38年には宣仁親王（高松宮）が生まれるなど、親王誕生の慶事も続いた。

NO.8
皇太子妃　節子（貞明皇后）／明治30〜40年代

解説：前頁と同様に、貞明皇后が皇太子妃時代に撮影した写真である。『貞明皇后実録』によれば、皇太子妃となった翌年の明治34年7月には大礼服や中礼服を着用した上で撮影し、さらに明治38年には10月と11月の2回、写真を撮影している。皇太子妃となった後は、その肖像を、海外の賓客や陪臣たちなどに贈る必要性が高まり、複数の肖像写真が調製されたものと考えられる。実際に、明治38年10月にセオドア・ルーズベルトの息女アリスが来日したときは、皇太子妃も自らの写真を贈呈している。

NO.9
大正天皇／大正元（1912）年秋頃

解説：大正元年に撮影された大正天皇の肖像写真である。明治天皇崩御による服喪期間であり、左腕に喪章を着用し、頭髪は短く刈り上げられている。喪章や、髪型などから、次頁の［NO.10］とほぼ同じ頃の、同年秋頃に撮影された写真と推定される。撮影を行ったのは、青山の御所内にあった御写真場であるが、本書の［NO.5］〜［NO.10］と［NO.18］〜［NO.26］は全て同じ写場で撮影されている。正式の御真影である［NO.11］はこの後、大正4年6月に改めて撮影された。

NO.10
大正天皇／大正元（1912）年秋頃

解説：ガーター勲章を授与された後に、撮影された大正天皇の写真。ガーター勲章は1348年にエドワード三世によって創設された勲章であり、騎士団勲章の中では最高位に位置づく。本写真では、大正元年9月18日に宮中において、来日中の英国のコンノート公から授与された同勲章が左足にまかれている。大正天皇の写真撮影においては、宮内省の式部官などを務めた伊藤博邦が、天皇の勲章を直そうとすると、天皇が「丸木に任せるように」と諫めた逸話が遺されている。

NO.11
大正天皇／大正4(1915)年6月

個人蔵

解説:大正天皇のいわゆる「御真影」として知られる写真である。天皇の御真影は即位の大礼にあわせて撮影の計画が進められ、撮影にあたっては、洋画家の黒田清輝、丸木利陽、小川一眞が宮内省調度寮の嘱託として任じられた他、撮影用に宮城内の紅葉山に新たな写真場も建設された。天皇は大正2年11月に様式が改正された、八条の袖章がついた陸軍正衣袴を着用し、大勲位菊花章頸飾や大勲位菊花大綬章などの勲章を佩用している。

I　天皇・皇后と親王　37

NO.12
貞明皇后／大正5（1916）年7月

個人蔵

解説：大正天皇の后である、貞明皇后の「御真影」として知られる写真である。皇后の御真影は天皇とともに、即位の大礼に向けて準備が進められたが、数回延期され、最終的には大正5年7月5日に撮影された。『貞明皇后実録』によれば、同日の午前11時に写真場に入り、撮影を行っている。着用している服は女性用の大礼服であり、胸元には勲一等宝冠章を佩用し、肩から飾帯を着用している。

NO.13
迪宮裕仁親王(昭和天皇)と淳宮雍仁親王／明治37(1904)年6月

解説：迪宮裕仁親王(昭和天皇)(1901-89)と淳宮雍仁親王(秩父宮)(1902-53)が、養育係であった、川村純義海軍中将邸において明治37年頃に撮影した写真。撮影時期は、その勝利によって、日本が世界の注目を集めることになる日露戦争の開戦時期と重なる。地球儀の上に乗る両親王の姿を写した本写真は、期せずして世界における日本のプレゼンスの上昇を象徴するかのような構図となっている。本写真は、戦前から現代まで、両親王の幼少時代を代表する写真として様々なメディアに用いられている。

I 天皇・皇后と親王　39

NO.14
迪宮裕仁親王／明治37（1904）年頃

解説：迪宮裕仁親王（昭和天皇）の幼少期の写真。馬の玩具に乗って遊んでいるが、『昭和天皇実録』によれば幼少期には天皇や皇后から木馬や馬の玩具を賜ったことが記録されている。

NO.15
淳宮雍仁親王
／明治37（1904）年頃

解説：淳宮雍仁親王（秩父宮）の幼少期の写真。[NO.14]と同じ時に撮影した写真である。

NO.16
淳宮雍仁親王／明治37（1904）年頃

解説：淳宮雍仁親王（秩父宮）の2歳頃の写真。『昭和天皇実録』によれば、明治36年の秋から、父の嘉仁親王（皇太子）が静養する沼津御用邸近くにある、川村純義の沼津別邸に滞在し、6月頃に帰京する。沼津では西郷侯爵の別邸や三島大社などを訪れ、帰京した後も兄迪宮裕仁親王とともに、様々なところを訪れ、見聞を広めている。馬車風の乳母車に乗っているが、兄の裕仁親王と共に、誕生日や宮中を訪れた時などには、天皇・皇后などから様々な乗り物や玩具を賜っている。

NO.17
迪宮裕仁親王と淳宮雍仁親王／明治37（1904）年頃

解説：迪宮裕仁親王（昭和天皇）と淳宮雍仁親王（秩父宮）の写真。2人とも洋式の小児服を着用しているが、『昭和天皇実録』によれば、裕仁親王が初めて洋式の小児服を着用したのは、2歳の誕生日を迎える少し前の明治36年の2月18日である。その後、兄弟である淳宮雍仁親王や、光宮宣仁親王（高松宮）、澄宮崇仁親王（三笠宮）も洋式の小児服を着用した写真を多く撮影し、その姿は『婦人画報』や『皇族画報』などの当時の雑誌にも掲載されている。

NO.18
迪宮裕仁親王／明治38〜39（1905〜06）年

解説：皇孫養育掛の木戸孝正は同じ写真を遺しており、その裏書には「丸木利陽撮影 明治三十九年六月十日御撮影」とあるが『昭和天皇実録』には、6月6日に丸木が親王達を撮影するという記載があるものの、10日には該当する記載はない。一方同書には明治38年7月3日に両親王が水兵服姿で帯剣した様子を撮影したと記されているが、同日撮影をしたのは小川一眞であると記されている。よって、撮影日と撮影者の断定は難しいが、本写真は明治38〜39年頃に丸木或いは小川によって撮影されたと推定される。

NO.19
淳宮雍仁親王／明治38〜39（1905〜06）年

解説：淳宮雍仁親王の写真であり、[NO.18] の写真と同じ日に撮影されたと推定される写真。親王の顔と目線はカメラの方向を向き、右斜めより柔らかな光があてられている。親王達が幼少時代に水兵の服を着用して御所に参殿することは、複数回記録されている。また、親王達は幼少期の写真で着用している衣服は、洋式の子供服や水兵服、学習院の制服などが多く、和装姿で写る機会は極めて少ない。写真の様子からも、この頃の宮中における洋装文化の浸透が、幼い親王達にも及んでいたことがわかる。

NO.20

光宮宣仁親王、淳宮雍仁親王、迪宮裕仁親王／明治39（1906）年6月

解説：光宮宣仁親王（高松宮）、淳宮雍仁親王、迪宮裕仁親王の写真。撮影時期は『昭和天皇実録』や同じ衣装で撮影された他の写真などから明治39年6月6日に青山の東宮御所の写真場で撮影された可能性が高い。写真［NO.18］と［NO.19］も本写真と極めて近い時期に撮影された可能性が高い。

NO.21

光宮宣仁親王／
明治39（1906）年頃

解説：光宮宣仁親王（高松宮）（1905-87）の写真。体を右に傾けながら、顔と目線を左に向けて撮影した写真である。光宮宣仁親王は、明治38年11月12日より、兄の裕仁親王、雍仁親王とともに、皇孫仮御殿で共に養育されるようになる。台紙が同じであるため、本写真も［NO.18］、［NO.19］と同じ日か、極めて近い時期に撮影された可能性が高い。

I　天皇・皇后と親王　45

NO.22
淳宮雍仁親王、光宮宣仁親王、迪宮裕仁親王／明治40（1907）年9月

解説：左から淳宮雍仁親王（秩父宮）、光宮宣仁親王（高松宮）、迪宮裕仁親王（昭和天皇）。『昭和天皇実録』によれば、明治40年9月28日に三親王が東宮御所に参殿し、前庭において丸木利陽によって撮影が行われたと記されている。また、光宮宣仁親王が同日に本写真と同じ衣装で写る写真が存在するため、この写真も明治40年9月28日の撮影である可能性が高い。恐らく前庭での撮影の後に、同じ御所内にある写真場で撮影されたと推定される。

NO.23
迪宮裕仁親王／大正元(1912)年10月1日

解説：迪宮裕仁親王（昭和天皇）が大正元年10月1日に撮影した写真。『昭和天皇実録』によれば、午後に雍仁親王（秩父宮）、宣仁親王（高松宮）とともに、青山の御写真場において、陸軍正装、海軍正装、陸軍通常礼装の写真を丸木が撮影したと記してある。本写真は陸軍通常礼装として陸軍少尉の制服を着用しており、胸に大勲位菊花大綬章を佩用し、明治天皇崩御に伴い、腕に喪章を着用している。裕仁親王はこの時11歳となっており、学習院初等科で教育を受けていたが、同年9月9日に陸海軍少尉に任官した。

NO.24
迪宮裕仁親王／大正元（1912）年10月1日

解説：前頁と同じ日に撮影された迪宮裕仁親王（昭和天皇）の写真。海軍少尉の制服を着用し、大勲位菊花大綬章を佩用している。裕仁親王は大正元年9月9日に陸海軍少尉に任官し、同日に大勲位菊花大綬章を受章している。陸軍正装の写真と比較して、前頁の陸軍通常礼装や、この海軍正装姿の写真は公になる機会が少ない肖像写真である。この4年後の大正5年には立太子の礼を迎えて正式に皇太子となり、さらにその5年後には摂政宮となり、事実上の君主として、様々な政務に従事していく。

NO.25
淳宮雍仁親王／大正元（1912）年10月1日

解説：前頁の裕仁親王の写真と同じ日に撮影された淳宮雍仁親王（秩父宮）の写真。雍仁親王はこの時10歳になっており、学習院初等科の制服を着用し、左腕に明治天皇への弔意を表す喪章を着用している。この時期は、学習院へ通学や、明治天皇崩御に伴う宮中の様々な儀式へ参列していた。また、宮城内部の主馬寮において、裕仁親王の乗馬の練習に立ち会うなど、1歳違いであった兄の裕仁親王と常に行動を共にしていた。

I 天皇・皇后と親王　49

NO.26
光宮宣仁親王／大正元（1912）年10月1日

解説：前頁と同様に、大正元年10月1日に撮影された光宮宣仁親王（高松宮）の写真である。宣仁親王はこの時7歳になっており学習院初等科の制服を着用している。明治天皇を追悼する宮中での儀式などに、2人の兄と共に、参列していた。また、この10日程前の9月19日にも兄の裕仁親王や雍仁親王とともに、学習院の始業式に参列し、20日より第2学期の授業を受けに、学習院に通学している。この2学期より、歌人であり国文学者である弥富破摩雄が、宣仁親王の御学事御用を務めている。

I 天皇・皇后と親王

NO.27
久邇宮良子女王（香淳皇后）／大正前期

解説：後に昭和天皇の后（香淳皇后）となる、久邇宮良子女王（1903-2000）の写真。久邇宮家から丸木の元に送られてきた時の封筒に入れられた状態で、丸木家に伝えられてきたのが［NO.27］〜［NO.29］の3枚の写真である。丸木家では、本写真は当時皇太子であった昭和天皇の妃候補となるにあたり、言わば「お見合い写真」として仕立てられた写真ではないかと、伝えられている。良子女王は、学習院女学部在学中の大正7年1月14日に皇太子裕仁親王の妃に内定しているため、大正4年から7年頃の撮影ではないかと推定される。［NO.28］と［NO.29］も、同日に違う角度で撮影された写真である。

Ⅰ　天皇・皇后と親王　51

NO.28

NO.29

NO.30
写真を入れた封筒

NO.31
宮内省調度寮写真部の集合写真／大正前期

解説：大正期の皇族の写真撮影にあたった、宮内省調度寮写真部の集合写真と推定される。前列左から3番目が丸木利陽、4番目が写真師の小川一眞である。小川一眞は、万延元 (1860) 年に、現在の埼玉県行田市に生まれ、その後、留学などを経て写真術と印刷技術を習得し、明治18年に写真館玉潤館を、さらに明治22年には写真製版事業と写真館事業の拠点を京橋区日吉町に設ける。同所において、肖像写真撮影と写真製版、写真帖制作と発行などを行い、丸木利陽などと並ぶ写真師となる。明治43年には帝室技芸員となり、大正3年には丸木とともに、宮内省御用掛を任命され、天皇・皇后などの肖像写真撮影を行う。

本写真と同一の写真は埼玉県行田市郷土博物館に所蔵されている小川家旧蔵アルバムにも貼られている。その解説によれば、前列左から1番目は大舘功造、前列右から1番目が中井精一、3番目が大塚徳三郎と記述されている。大舘と大塚は小川一眞と関係の深い写真師である。中井精一は京都の写真師と伝えられ、丸木、小川とともに、天皇・皇族の写真撮影の御用を務めた黒田清輝と親しい間柄であった。背景の建物は紅葉山の写真館である可能性が高い。撮影時期は丸木利陽と小川一眞が宮内省調度寮の嘱託を務めた大正前期と推定される。(参考論文：中村一紀「明治期の宮内省と写真師たち」、『建築の記憶—写真と建築の近現代—』東京都庭園美術館、2008)

II
肖像アルバム

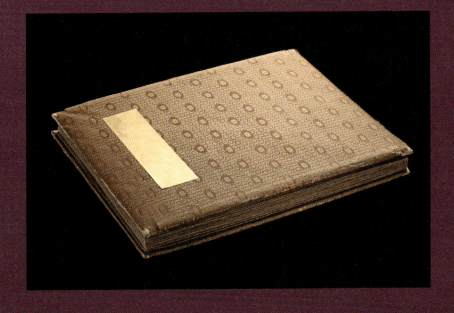

　丸木家に遺されていた、皇族や名士を撮影したアルバム。利陽の死後、遺された写真を基に調製されたと推定される。アルバムには明治20年代から30年代にかけて、丸木利陽の写真館が最も繁栄していた時代の写真が掲載されている。全体としては写真の上部に広いスペースがあり、実際はこれらの写真をさらにトリミングして使用していたと考えられる。

NO.32
山縣有朋／明治23（1890）年6月頃

解説：山縣有朋（1838-1922）は長州出身の軍人・政治家である。陸軍大将・元帥・首相を歴任した他、元老として政界に大きな力を保ち続けた。写真は袖章に7本の条が入る陸軍大将の制服を着用した、明治23年6月頃の写真と推定される。体と顔をカメラから向って左に傾けながら、左方向から光を当て、右の頬にはハイライト（明部）が入っている。目線は丸木の肖像写真としては珍しくレンズの方に向いており、大きく見開いた眼が、厳かな印象を持たれがちの山縣に、温和な印象を与えている。

II 肖像アルバム　55

NO.33
井上馨／明治30年代

解説：井上馨（1836-1915）は長州出身の政治家である。幕末の尊王攘夷運動に参加し、維新後は外務大臣として欧化政策や条約改正などに携わった。文官（勅任官）大礼服を着用し、顔を左の方向に傾け、光を逆の右からあてることで鼻と頬の一部に影が表れている。額の皺とつり上がった眉からは、比較的目の細い井上が、写真師の指示により、目をなるべく大きく見開こうとしている様子が伺える。井上の肖像写真は多数が公になっているが、本写真は比較的知られていない明治後期の写真である。

NO.34
山田顕義／明治20年代

解説：山田顕義（1844-1892）は明治時代の軍人、政治家、社会事業家である。天保15年に萩藩に生まれ、明治維新後、陸軍中将、法相などを歴任する。本写真は、胴体と顔を向かって左に傾け、左方向から光を当て、左の頬全体と頬の上部にハイライト（明部）が表れている。目線は丸木の肖像写真としては珍しく、正面に向けられている。山田の肖像は同時期に撮影された写真で、左方向を向く肖像が知られているが、正面を向いた本写真は、比較的知られてはいない肖像写真である。

II 肖像アルバム　57

NO.35
松方正義／明治30年代

解説：松方正義（1835-1924）は鹿児島県出身の政治家である。蔵相や首相を歴任し、後年は元老として大きな影響力を持った。質素なフロックコートを着用し、襟に勲章の略綬を佩用している。顔と体を左方向に傾かせ、光も左方向からあてることで、右の頬の半分に影がつき、その上部にハイライトが表れている。弟子の回想によれば、松方は写真の撮影時に、頑として位置やポーズを変えなかったことが記されている。本写真の右手の拳や風貌からも、その厳格な性格が伝わる1枚である。

NO.36
徳川慶喜／明治30年代初頭

解説：徳川幕府最後の将軍である徳川慶喜（1837-1913）の肖像写真。慶喜の家扶が記録した『家扶日記』には、東京へ移住した翌年の明治31年5月19日に慶喜が丸木写真館を訪問したことが記されている。そして翌日の20日には東宮御所を訪問し、嘉仁親王（後の大正天皇）と面会し、親王より慶喜の写真を所望される。同日の日記によれば、写真を嘉仁親王に差し上げることにしたという一文があるため、本写真を献上した可能性もあるが、本写真とほぼ同時期に撮影された、羽織袴姿の写真が複数存在する。

II 肖像アルバム　59

NO.37
伊藤博文／明治29（1896）年11月3日

解説：伊藤博文（1841-1909）は長州出身の政治家で、明治新政府の成立後は、初代総理大臣、貴族院議長などを歴任した。本写真は明治29年11月3日に撮影されたものであり、伊藤自身が台紙に署名し、多くの人に贈呈している。顔を向かって左方向に傾かせ、光を右からあてることで、鼻筋の左の部分に柔らかな影が表れている。伊藤はこの年には55歳になっており、8月まで第2次伊藤内閣を組織するなど、政界で最も活躍していた時期であり、本写真は伊藤の代表的な肖像写真として知られている。

NO.38
岩倉具定／明治33（1900）年11月3日

解説：岩倉具定（1852-1910）は明治時代の華族、官僚、政治家である。嘉永4年に岩倉具視の子として生まれ、学習院院長や宮内大臣などを歴任する。本写真は明治33年の天長節（天皇の誕生日）である11月3日に撮影されたものである。顔を右方向に向け、光を左からあてることで、右反面に比較的濃い影がつき、顔に立体感を表出させている。明暗を強調するによって、元来目鼻立ちのはっきりした岩倉具定の顔立ちを一層引き立てている。本写真は壮年期の岩倉具定を写した代表的な肖像写真である。

NO.39
一条実孝／明治30年代後半〜40年代

解説：一条実孝（1880-1959）は明治から昭和にかけて活躍した華族・軍人である。一条実輝の養子となった後、海軍に入り、フランス駐在武官や、貴族院議員を歴任する。光を左からあてることで鼻筋に柔らかなラインと、顔の右反面に影が表れている。一条家の紋のついた袴の折り目にも光と影の明暗がくっきりと現れている。一条実孝の肖像写真は、大正２年に発刊された『華族画報』に、後年の肖像写真が掲載されているが、本写真は比較的珍しい壮年期の写真である。

NO.40
西園寺公望／明治30年代

解説：西園寺公望（1849-1940）は明治から昭和期にかけて活動した政治家である。嘉永2年に生まれ、維新後は政治家として首相・文相などを歴任し、最後の元老として大きな影響力を保持した。西園寺の肖像写真は多数公になっているが、本写真は同氏の肖像写真としては、比較的知られていない明治後期の肖像写真である。写真においては、右方向から光をあてることで顔の左半分に影が表れ、左側の顔の輪郭が強調されている。比較的年齢が若いこともあり、柔和で若々しい風貌が写し出されている。

NO.41
鍋島直大／明治30年代

解説：鍋島直大（1846-1921）は明治から大正期に活動した外交官、政治家である。弘化3年に鍋島直正の子として生まれ、維新後は、イタリア公使や貴族院議員、宮中顧問官などを歴任する。写真では文官（勅任官）大礼服を着用し、顔を右に向け、左から比較的強い光があてられており、目には強いハイライトが入っている。鍋島家は丸木利陽を重用した家の一つであるため、鍋島家に関する各種の史料を保存する、佐賀の鍋島報效会徴古館には、多数の丸木利陽撮影の写真が遺されている。

NO.42
蜂須賀茂韶／明治30年代

解説：蜂須賀茂韶（1846-1918）は幕末から大正期に活動した外交官、政治家である。弘化3年に蜂須賀斉裕の子として生まれ、明治維新後にイギリスへ留学し、その後は東京府知事、貴族院議長、文相などを歴任する。写真では、右方向に向いた顔に、左からやや強い光があてられており、胸元のネクタイや左側の勲章の一部が強く反射している。蜂須賀の肖像写真としては、有爵者大礼服を着用した肖像が知られており、勅任官大礼服を着用した本写真は、比較的知られていない明治後期の肖像写真である。

NO.43
副島種臣／明治20年代後半〜30年代

解説：副島種臣（1828-1905）は佐賀藩士出身の政治家。国学者であった枝吉忠左衛門の子として生まれる。明治維新後は参与、参議、外務卿を歴任した後、征韓論に端を発した政変により一時下野するが、その後枢密顧問官や内相なども歴任する。本写真では右方向に向いた顔に、左から光があてられ、陰影のある顔立ちが形成されている。副島には同時期に撮影されたと考えられる左向きの写真が知られているが、本写真のように右向きの写真は、比較的知られていない晩年期の肖像写真である。

NO.44
板垣退助／明治30年代

解説：板垣退助（1837-1919）は幕末から明治時代に活動した政治家。天保8年に土佐藩に生まれ、明治維新後に新政府の参議となるが、征韓論を原因として下野し、その後は自由民権運動を主導した。本写真は明治30年代の撮影であると推定され、向って右方向に向けた顔に左より光をあてることで、鼻筋を強調させる光と影のラインが形成されている。板垣の肖像写真としては、同時期に撮影された、向って左向きの写真が一般的であるが、本写真は戦後発行された「百円札」の肖像見本となった写真である。

Ⅱ 肖像アルバム

NO.45
田中光顕／明治20年代後半～30年代

解説：田中光顕（1843-1939）は幕末から昭和初期まで活躍した政治家である。天保14年に土佐で生まれ、明治維新後は陸軍に入り、後に警視総監、宮内大臣などを歴任する。写真は袖章に5本の条が入っている中将の制服を着用した、明治20年代後半から30年代に撮影された写真と推定される。左方向に向けた顔に右より光があてられ、左の眼の下に弱いハイライトが入っている。田中の肖像写真としては、より後年の写真が使用されることが多く、本写真は比較的知られていない明治中頃の肖像写真である。

NO.46
桂太郎／明治28〜31（1895〜98）年

解説：桂太郎（1848-1913）は弘化4年に長州に生まれ、明治から大正にかけて活動した軍人・政治家である。明治34年には首相に就任し、日露戦争では総理大臣として総指揮にあたる。写真は、陸軍中将の制服を着用し、勲一等瑞宝章を佩用した、明治28年から31年頃の撮影と推定される。本写真では右方向に向いた顔に、左から弱い光があてられているが、眉間や目の下の皺などが目立ち、全体として険しい表情が表出されている。本写真は比較的知られていない明治中頃の肖像写真である。

NO.47
橋本綱常／明治38〜42（1905〜09）年

解説：明治時代の医学者である橋本綱常（1845-1909）は弘化2年に越前（現在の福井県）に生まれた。思想家の橋本左内は兄にあたる。維新後は、ドイツ留学を経て医学者となるが、写真は軍医総監となった明治38年から42年頃の撮影と推定される。半身像であるが、左腕を曲げて腰にあてることで、横に配置された机と帽子との間で左右のバランスをとる構図が形作られている。橋本の肖像は、同時期に撮影された正面向きの写真がよく知られているが、本写真も晩年期の様子を伝える代表的な肖像写真である。

NO.48
榎本武揚／明治30年代後半

解説：榎本武揚（1836-1908）は天保7年に生まれた軍人・政治家である。オランダ留学後に海軍副総裁となり、明治維新時には最後まで新政府軍と対峙し、箱館の五稜郭で交戦した後に降伏する。降伏後は投獄されるが、特赦となり、その後は文相、外相、農商務相などを歴任する。写真は海軍中将の位階を示す、袖に4本の条が入った制服を着用している明治30年代後半の写真である。右方向に向けた顔に、左から光をあてることで、鼻筋を目立たせている。本写真は榎本武揚の代表的な肖像写真である。

NO.49
児玉源太郎／明治30年代

解説：児玉源太郎（1852-1906）は嘉永5年に周防（現在の山口県）に生まれた軍人・政治家である。明治25年に陸軍次官となった後、台湾総督、陸相、内相、文相などを歴任する。日露戦争では満州軍総参謀長をつとめて、戦争を勝利に導く。写真は、中将の位階を表す制服を着用しているため、明治29年から30年代の写真と推定される。右方向に向けた顔に、左方向から光があてられ、右側の頬の上部に弱いハイライトが表出されている。本写真は、明治30年代を代表する児玉の肖像写真である。

NO.50
渡辺国武／明治20年代～30年代

解説：渡辺国武（1846-1919）は弘化3年に、信濃高島藩（現在の長野県）に生まれた。明治から大正にかけて官僚・政治家として活躍し、宮内大臣などを歴任した渡辺千秋は兄にあたる。明治維新後は、福岡県令、大蔵次官、蔵相などを歴任する。写真は文官（勅任官）大礼服を着用しており、明治20年代から30年代にかけての撮影と推定される。左方向に向けた顔に、右方向から光があてられ、顔の左部分に影が入ることで、顔の輪郭と鼻筋を強調させている。本写真は渡辺国武の代表的な肖像写真である。

NO.51
佐野常民／明治30年代

解説：佐野常民（1823-1902）は文政5年に肥前（現在の佐賀県）に生まれた政治家、社会事業家である。幕末に緒方洪庵の適塾などに学び、維新後は大蔵卿や元老院議長などを歴任し、西南戦争時には日本赤十字の前身となる博愛社を設立した。写真では、向かって右方向に向けた佐野の顔に、左から光があてられ、鼻筋と顔の右側の輪郭が強調されている。佐野の晩年期の写真は、ほぼ同時期に撮影された複数の写真が存在するが、本写真もその頃の様子を伝える代表的な肖像写真である。

NO.52
青木周蔵／明治20年代後半〜30年代

解説：青木周蔵（1844-1914）は長州藩出身で、明治時代に活躍した外交官である。明治元年にドイツに留学した後、外務次官や外相として条約改正の任にあたり、その後も外相、駐米大使などを歴任した。写真は文官（勅任官）大礼服を着用しているが、明治20年代後半から30年代にかけて撮影された写真と推定される。半身像であるが、右腕を椅子にのせ、左手に礼服帽を持つことで左右の空白をなくす構図を構成している。本写真は『青木周蔵自伝』（平凡社：1970）の口絵にも掲載された明治後期の肖像写真である。

NO.53
伊東祐亨／明治31〜39（1898〜1906）年

解説：伊東祐亨（1843-1914）は薩摩出身の海軍軍人である。明治維新後に海軍に入り、日清戦争時の連合艦隊司令長官、日露戦争時の軍令部長などを歴任した後、明治39年には元帥に就任する。写真は、袖章に海軍大将を示す4本の条が入った制服を着用した明治31年から39年頃までに撮影された写真である。向って右向きの顔に左から光があてられ、鼻筋と顔の輪郭が強調されている。伊東の肖像写真としては、後年に撮影された写真がより一般的であるが、本写真も明治後期の代表的な肖像写真である。

NO.54
芳川顕正／明治29（1896）年～30年代

解説：芳川顕正（1842-1920）は、阿波国（徳島県）出身の官僚・政治家である。明治15年に東京府知事を務めた後、文相、内相などを歴任した。写真では有爵者大礼服を着用しており、明治29年以降撮影された写真である。左方向に向けられた顔に右から光があてられ、鼻筋と顔の左端の輪郭が強調されている。芳川の肖像写真は、文官（勅任官）大礼服を着任した、より若い時代の写真や、有爵者大礼服姿の右向きの写真がよく用いられており、本写真は比較的知られていない明治中頃の肖像写真である。

NO.55
曾禰荒助／明治20年代後半〜30年代前半

解説：曾禰荒助（1849-1910）は明治期の官僚、政治家である。嘉永2年に山口藩（現在の山口県）に生まれ、維新後は法務官僚として活動した後、駐仏公使、司法相、韓国統監を歴任する。写真は文官（勅任官）大礼服を着用しており、明治20年代後半から30年代前半の撮影と推定される。右を向いた顔に、左から光があてられ、鼻筋に柔らかいラインが形成されている。本写真は『実業之日本』明治32年3月号の口絵に掲載されており、明治30年代前半の代表的な写真である。

NO.56
福澤諭吉／明治20年代

解説：福澤諭吉（1835-1901）は天保5年に豊前中津藩（現在の大分県）に生まれた、思想家・教育者・社会事業家である。大坂の適塾で学び、安政5年に江戸で慶應義塾の前身となる蘭学塾を開設する。維新後は官職を辞して、著述や慶應義塾の発展に尽力した。『福澤諭吉事典』（福澤諭吉事典編集委員会：2010）によれば、本写真は明治20年に撮影された写真で、肌が多少修正されているが、同時代の石版画や本の挿絵などに比較的多く出回った肖像であり、逆向きの写真も存在する肖像写真である。

NO.57
林有造／明治30年代

解説：林有造（1842-1921）は土佐藩（現在の高知県）の藩士岩村英俊の二男として、天保13年に生まれる。維新後は、外務省などに出仕したが、征韓論に端を発した政変で辞職する。その後、衆院議院議員に当選し、自由党土佐派の中心的存在として活躍し、逓相、農商務相などを歴任する。本写真は様々な大臣職を歴任した、明治30年代の写真と推定される。右に向けた顔に左からやや強い光があてられ、顔の右反面に影がつき、鼻筋と右顔の輪郭を目立たせている。本写真は林有造の代表的な肖像写真である。

NO.58
岩崎彌之助／明治30年代

解説：岩崎彌之助（1851-1908）は嘉永4年に土佐（現在の高知県）に生れた明治期の実業家である。三菱財閥の創始者である岩崎弥太郎の弟であり、明治18年には三菱商会の社長に就任し、三菱財閥の基礎を築いた。向って右方向に向けた顔に対して左から光があたられ、目鼻立ちのはっきりした風貌をより鮮明に写し出している。岩崎の写真は同じ時期に撮影された類似の写真が複数存在するが、本写真は比較的知られていない明治後期の肖像写真である。

NO.59
三井高棟(八郎右衛門)／明治25～29(1892～96)年

解説:三井高棟(1857-1948)は三井高福の八男として安政4年に京都に生まれる。米国に留学した後、明治18年に家督を相続して第15代八郎右衛門となり、以後昭和期まで三井家と三井財閥の中心的な存在となった。写真は、従五位を叙された明治25年から男爵位を叙された明治29年の間と推定される。向って左に向けられた顔に右側からやや強い光があてられており、顔全体が明瞭に写し出されている。赤十字社の有功章などを佩用した本写真は、三井高棟の比較的知られていない壮年期の肖像写真である。

NO.60
中上川彦次郎／明治26（1893）年頃

解説：中上川彦次郎（1854-1901）は嘉永7年に中津藩（現在の大分県）に生まれた実業家で、福澤諭吉の甥にあたる。英国留学後に官吏を経て実業界に転じ、明治24年には三井銀行の理事となるが、明治34年に満47歳の若さで死去する。『中上川彦次郎伝記資料』（日本経営史研究所：1969）によれば、本写真は明治26年に三井銀行理事就任当時の写真とされ、39歳頃の写真である。大きく見開いた眼にハイライトが強く入り、壮年期の若々しい表情を捉えている。本写真は中上川の代表的な肖像写真である。

NO.61
益田孝／明治30年代

解説：益田孝（1848-1938）は嘉永元年に佐渡に生まれる。幕末に遣欧使節に随行して渡欧し、帰国後に横浜で貿易業に従事した。その後明治9年に三井家が三井物産を創立すると社長に就任し、中上川彦次郎の死後は、三井財閥において中心的な存在となった。左手を腰にあて、自信に満ちた表情をみせるその姿は、様々な事業を先導していた実業家としての風格を漂わせている。益田は、青年期から晩年まで複数の肖像写真が知られているが、本写真は比較的用いられることの少ない明治後期の写真である。

NO.62
山本権兵衛／明治34～37（1901～04）年

解説：山本権兵衛（1852-1933）は嘉永5年に薩摩藩士山本盛珉の六男として生まれた。維新後は海軍に入り、海軍軍務局長や海相を務めた後、大正期には2度首相に就任する。本写真は、中将の位階を示す制服を着用し、旭日大綬章を佩用した、明治34年から37年の間に撮影された写真である。向かって左方向に向けた顔に、同じ左方向から光があてられており、2つの瞳に映った大きめのハイライトが、山本の風貌に力強い印象を与えている。本写真は山本の明治30年代を代表する肖像写真である。

III
内親王・皇族妃と女官達

　扉の写真は北白川宮家に丸木利陽が収めた写真原板の箱である。丸木は顧客の求めがあれば、写真の原板を木箱などにいれて、納めていたようであり、箱の内側には「御種板　六枚　丸木利陽」と筆書きされている。丸木の写真館の顧客は、男性だけではなく、天皇の息女にあたる内親王や宮家に生まれた女王、さらに皇族妃や女官など、身分の高い女性も多く含まれていた。そしてそれらの女性の写真は、男性の肖像とは異なり、背景画や小道具の使い方、さらに表情のつけ方などの点で様々な工夫がなされていた。

(1)

(2)

NO.63
北白川宮家写真原板収容箱／明治43（1910）年頃

個人蔵

解説：北白川宮家に納められた、北白川宮成久親王妃房子内親王（1890-1974）を中心とした写真の原板を納めた木箱である。箱は2つあり、箱1（左）に6枚、箱2（右）に8枚の原板が収納されていた。房子内親王は、明治23年に明治天皇と権典侍（女官）であった園祥子［NO.75］の息女（内親王）として生まれる。明治42年に北白川宮成久王と結婚し、4人の子をもうけるが、成久王は大正12年に薨去する。また戦後、房子内親王は皇籍離脱したが、神社本庁総裁、伊勢神宮奉賛会総裁などを歴任し、昭和49年に84才で逝去する。

III 内親王・皇族妃と女官達　87

NO.64
成久王妃房子内親王（原板）／明治42（1909）年頃

個人蔵

解説：房子内親王を撮影した写真の原板。左後方に、背景画とそれを掲げる櫓の様子が垣間見えるため、出張による撮影と推定される。撮影時期は他の写真原板と同じ、明治42年頃と推定され、成久王との結婚の直前か直後の様子を写した写真であろう。原板には薬品を塗った上に鉛筆などでレタッチすることによって肌のシミなどを除く修正が施されている。房子内親王は写真に対する関心が高く、少女時代より自らカメラを使い、撮影を行っていることが当時の新聞などで報道されている。

NO.65
成久王妃房子内親王(原板)／明治42(1909)年頃

個人蔵

解説：本写真も出張による撮影と推定され、背景画を後ろに掲げた上で撮影を行っている。本写真で用いられている森林の背景画は、伏見宮禎子女王の肖像写真など、他の女性を撮影する場合にも使用されている。また森林の背景画を用いる時は小道具として傘を共に用いることが多かった。向って右からの光源に対して、左に顔を傾け、鼻筋の左の部分と左側の頬の輪郭を強調させている。房子内親王は小川一眞によって撮影された写真においても、自然の中で傘を持った姿の肖像写真を撮影している。

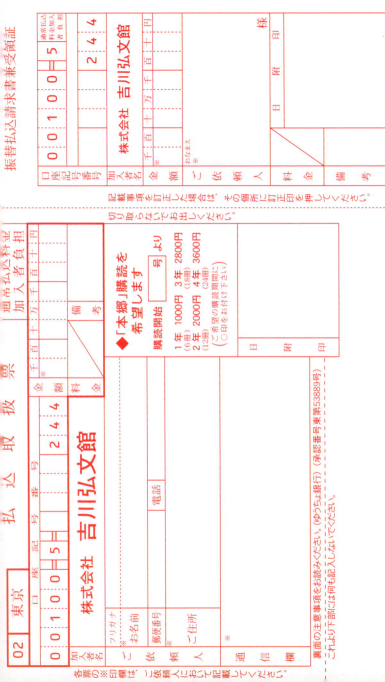

（ご注意）
・この用紙は、機械で処理しますので、金額を記入する際は、枠内にはっきりと記入してください。また、本票を汚したり、折り曲げたりしないでください。
・この用紙は、ゆうちょ銀行又は郵便局の払込機能付きATMでもご利用いただけます。
・この払込書を、ゆうちょ銀行又は郵便局の窓口にお預けになるときは、引換えに預り証を必ずお受け取りください。
・ご依頼人様からご提出いただきました払込書に記載されたおところ、おなまえ等は、加入者様に通知されます。
・この受領証は、払込みの証拠となるものですから大切に保管してください。

収入印紙
課税相当額以上
貼
（印）
付

この用紙で「本郷」年間購読のお申し込みができます。
◆この申込票に必要事項をご記入の上、記載金額を添えて郵便局でお払込み下さい。
◆「本郷」のご送金は、4年分までとさせて頂きます。

この用紙で書籍のご注文ができます。
◆この申込票の通信欄にご注文の書籍をご記入の上、書籍代金（本体価格＋消費税）に荷造送料を加えた金額をお払込み下さい。
◆荷造送料は、ご注文1回の配送につき380円です。
◆入金確認まで約7日かかります。ご諒承下さい。

振替払込料は弊社が負担いたしますから無料です。
※領収証は改めてお送りいたしませんので、下記のご諒承下さい。

お問い合わせ　〒113-0033・東京都文京区本郷7－2－8
　　　　　　　吉川弘文館　営業部
　　　　　　　電話03-3813-9151　FAX03-3812-3544

この場所には、何も記載しないでください。

本の豊かな世界と知の広がりを伝える

吉川弘文館のPR誌

本郷

定期購読のおすすめ

◆『本郷』(年6冊発行)は、定期購読を申し込んで頂いた方にのみ、直接郵送でお届けしております。この機会にぜひ定期のご購読をお願い申し上げます。ご希望の方は、何号からか購読開始の号数を明記のうえ、添付の振替用紙でお申し込み下さい。

◆お知り合い・ご友人にも本誌のご購読をおすすめ頂ければ幸いです。ご連絡を頂き次第、見本誌をお送り致します。

●購読料●　　　　　　　　　　(送料共・税込)

1年(6冊分)	1,000円	2年(12冊分)	2,000円
3年(18冊分)	2,800円	4年(24冊分)	3,600円

ご送金は4年分までとさせて頂きます。

見本誌送呈　見本誌を無料でお送り致します。ご希望の方は、はがきで営業部宛ご請求下さい。

吉川弘文館

〒113-0033　東京都文京区本郷7-2-8／電話03-3813-9151

吉川弘文館のホームページ http://www.yoshikawa-k.co.jp/

料金受取人払郵便

本郷局承認

8240

差出有効期間
平成29年1月
31日まで

郵便はがき

113-8790

251

東京都文京区本郷7丁目2番8号

吉川弘文館 行

愛読者カード

本書をお買い上げいただきまして、まことにありがとうございました。このハガキを、小社へのご意見またはご注文にご利用下さい。

お買上 **書名**

＊本書に関するご感想、ご批判をお聞かせ下さい。

＊出版を希望するテーマ・執筆者名をお聞かせ下さい。

お買上 書店名	区市町	書店

◆新刊情報はホームページで　http://www.yoshikawa-k.co.jp/
◆ご注文、ご意見については　E-mail:sales@yoshikawa-k.co.jp

ふりがな ご氏名		年齢　　歳　　男・女
☎ □□□-□□□□	電話	
ご住所		
ご職業	所属学会等	
ご購読 新聞名	ご購読 雑誌名	

今後、吉川弘文館の「新刊案内」等をお送りいたします(年に数回を予定)。
ご承諾いただける方は右の□の中に✓をご記入ください。　□

注　文　書

　　　　　　　　　　　　　　　　　　　　　　　　　　月　　日

書　　名	定　価	部　数
	円	部
	円	部
	円	部
	円	部
	円	部

配本は、○印を付けた方法にして下さい。

イ．下記書店へ配本して下さい。
(直接書店にお渡し下さい)

―(書店・取次帖合印)――――

書店様へ＝書店帖合印を捺印下さい。

ロ．直接送本して下さい．
代金(書籍代＋送料・手数料)は
お届けの際に現品と引換えにお支
払下さい。送料・手数料は、書籍
代計 1,500 円未満 530 円、1,500 円
以上 230 円です (いずれも税込)

＊お急ぎのご注文には電話
　FAXもご利用ください。
　電話 03－3813－9151 (代)
　FAX 03－3812－3544

NO.66
成久王妃房子内親王と永久王（原板）／明治43年（1910）年頃

個人蔵

解説：房子内親王と生後間もない北白川宮永久王（1910-40）を写した写真の原板。本写真も宮邸などでの出張撮影であると推定される。本写真で用いられている背景画は、竹田宮恒久王などの写真でも用いられており、他の皇族の出張撮影時にも用いられている。永久王は、明治43年2月19日に北白川宮成久王の第一王子として生まれる。陸軍士官学校を卒業した後、陸軍に入り、後に男爵徳川義恕の次女祥子と結婚する。昭和12年に道久王をもうけるが、昭和15年に演習中の事故により31歳で薨去する。

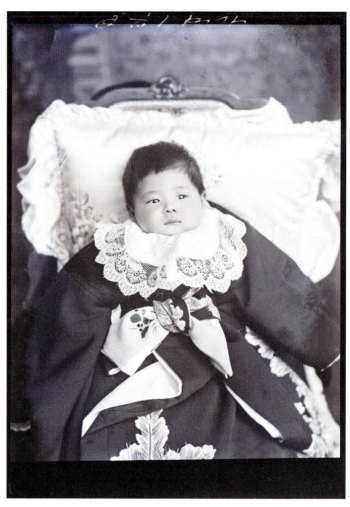

NO.67
北白川宮永久王（原板）／明治43（1910）年頃

個人蔵

解説：永久王の様子を写した写真の原板。皇族・華族の家では、子弟が誕生した後、30日から100日後の宮参りの時に記念写真を撮影しており、宮参り用の祝着を着用した写真が多数残されている。本写真においても永久王は祝着にレースの涎掛けを着用している。本写真の原板では顔の頬の影の部分などが修正され、赤子らしい柔和な表情が表出されている。皇族の子弟であるため、これらの写真は台紙などに仕立てられて、宮中や関係する諸家に配られたものと推定される。

NO.68
恒久王妃昌子内親王と成久王妃房子内親王（原板）／明治42（1909）年頃

個人蔵

解説：姉である、竹田宮恒久王妃昌子内親王（右）(1888-1940) と北白川宮成久王妃房子内親王（左）を写した写真の原板。背景と絨毯が［NO.64］の写真と同じであるため、同じ場所で撮影された写真であろう。昌子内親王は、房子内親王と同様に、明治天皇と典侍であった園祥子との間に生まれた。生母が同一で年齢も近かった2人は共に養育された。本写真は成人後の写真であるが、2人で同じ柄の着物を着用しており、何らかの記念に撮影した写真と推定される。

NO.69
菊麿王妃常子／明治30年代後半から40年代

解説：菊麿王妃常子（1874-1938）は明治7年に公爵島津忠義の四女として生まれ、明治35年に山階宮菊麿王［NO.115］と結婚する。菊麿王との間には藤麿王、萩麿王、茂麿王の三男をもうけ、昭和13年に、64歳で薨去する。写真は明治30年代後半から40年代の撮影と推定される。向って右方向に向ける顔に対して左方向から光を照らし、鼻筋と顔の輪郭を明瞭にさせる一方で、前と背景に陰影を表出させ、上半身が浮き出るような効果を出している。本写真は比較的知られていない明治後期の肖像写真である。

Ⅲ　内親王・皇族妃と女官達

NO.70
依仁親王妃周子／明治30年代

岩倉具忠　蔵

解説：依仁親王妃周子（1876-1955）は、明治9年に公爵岩倉具定の長女として生まれ、明治31年に依仁親王［NO.117］と結婚する。依仁親王は、明治36年に東伏見宮家を創設する。本写真では、着用したドレスの上に、明治31年5月に叙された勲一等宝冠章を佩用している。笑みを浮かべているような、おだやかな表情の顔と半身を左上からの光で照らし、周囲を黒い背景画や影で包むことで、半身が浮き上がるようなイメージを表出させている。本写真は周子妃の比較的知られていない肖像写真である。

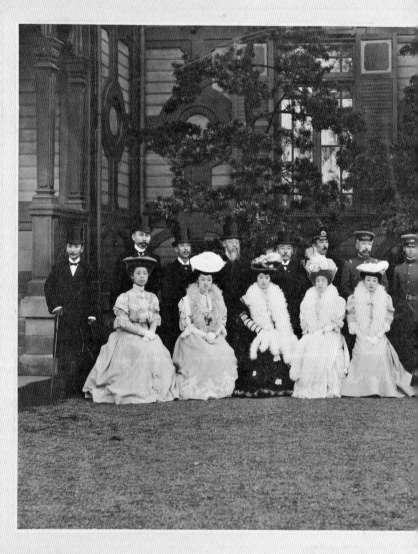

NO.71
皇族の集合写真／明治38年〜40年代前半
　　　　　　　　　　岩倉具忠蔵

丸木の写真館は、集合写真撮影の出張を依頼されることが多く、旧宮家などには丸木が撮影した大判の集合写真が多数遺されている。皇族の集合写真では、多くの場合、皇族妃や内親王、女王などの女性が前列に座り、後列に男性皇族が立つ配置が用いられる。本写真は東伏見宮家に遺された集合写真であり、明治38年から40年代に撮影されたと推定される。本写真には各皇族の他、竹内絢子や仙石素子など、久邇宮朝彦王の息女（女王）とその婚姻後の夫や、宮内省の官僚であった長崎省吾夫妻などが写っている。写真前列左から長崎多恵、久邇宮倪子妃、東伏見宮周子妃、閑院宮智恵子妃、山階宮常子妃、竹内絢子、仙石素子、1人不明、後列左から角田敬三郎、長崎省吾、仙石政敬子爵、竹内惟忠子爵、東園基光子爵、山階宮菊麿王、伏見宮貞愛親王、朝香宮鳩彦王、北白川宮成久王、久邇宮邦彦王、東久邇宮稔彦王、1人不明、である。

NO.72
高倉寿子
明治25（1892）年7月5日

解説：高倉寿子（1840-1930）は明治から大正時代に宮中に仕えた女官。天保11年に生まれ、明治元年に一条美子（昭憲皇太后）が明治天皇と婚儀を上げた後に、皇后と共に入内し、典侍、女官長をつとめた後、昭和5年に91歳で逝去する。

NO.73
小倉文子
明治30年代

解説：小倉文子（1861-1929）は文久元年に公家の小倉輔季の娘として生まれる。明治13年に宮中に入り、権典侍、典侍として明治天皇や皇后に仕え、昭和4年に69歳で逝去する。写真は明治30年代の撮影と推定される。

Ⅲ　内親王・皇族妃と女官達

NO.74
柳原愛子
明治20年代～30年代

解説：柳原愛子（1859-1943）は明治天皇に仕えた女官で大正天皇の生母。安政2年に生まれ、明治3年に宮中に入り、明治12年に嘉仁親王（大正天皇）をもうける。大正8年には正二位に叙されて、昭和18年に89歳で逝去する。

NO.75
園祥子
明治20～30年代

解説：園祥子（1867-1947）は、明治から大正時代に宮中に仕えた女官。公家の園基祥の次女として生まれる。宮中に女官として入り、明治天皇との間に、常宮昌子、周宮房子、富美宮允子、泰宮聡子の各内親王をもうけ、昭和22年に80歳で逝去する。

NO.76
皇族妃とその子弟／大正11（1922）年9月

解説：明治天皇と女官であった園祥子［NO.75］との間に生まれた、常宮昌子内親王（竹田宮恒久王妃）、周宮房子内親王（北白川宮成久王妃）、富美宮允子内親王（朝香宮鳩彦王妃）、泰宮聡子内親王（東久邇宮稔彦王妃）とその子弟の集合写真。大正11年に東京麻布市兵衛町の東久邇宮邸で開催された北白川宮妃房子内親王の送別会において撮影された。文献によれば、右から東久邇宮彰常王（後の栗田侯爵）、東久邇宮妃聡子内親王、朝香宮孚彦王（後列）、東久邇宮盛厚王（前列）、竹田宮礼子女王、竹田宮妃昌子内親王、朝香宮紀久子女王、竹田宮恒徳王（後列の学生服）、北白川宮佐知子女王、北白川宮妃房子内親王、北白川宮美年子女王、朝香宮鳩彦王（後列：スーツ姿の男性）、東久邇宮師正王（最前列の白い服の男児）、北白川宮永久王（鳩彦王の左隣）、朝香宮正彦王、朝香宮妃允子内親王、朝香宮湛子女王である。和装姿の4人の内親王を等距離に置いて、その周囲を子供などに囲ませることで、4人の内親王の存在感が引き立つ画面構成になっている。
（参考文献：『旧皇族・華族秘蔵アルバム 日本の肖像第12巻』、毎日新聞社）

Ⅳ
明治人の肖像

　丸木家に遺されている、各種台紙付写真を納めた木箱。木箱の蓋には「御用写真師丸木利陽」と記されている。丸木の写真館では像主の性格、性別、世代・年齢などに応じて、写し方や採用する台紙などに変化を持たせていた。特に光の使い方や、ポーズのつけ方、採用する台紙の種類などによって、最終的な仕上りの様子は大きく変化した。そのため、写真師は、ポーズ、採光、構図、トリミングの範囲、台紙のサイズなど、様々な条件を考慮しながら、写真を調製させていく必要があった。

NO.77
伊藤博文／明治30年代

個人蔵

Ⅳ　明治人の肖像

解説：本写真は丸木利陽の写真館で撮影された代表的な写真として知られ、千円の紙幣（日本銀行券）の肖像にも使用された伊藤博文の肖像写真である。本写真の撮影時期は明治30年代中頃と推定される。後の頁で示されるように、同じ時期に向きの異なるもう1枚の写真が撮影されている。本写真は左方向に向いた顔に左斜めから光をあて、顔の右反面に影を形成しつつ、右側の頬の上部にはハイライトが表れる「レンブラントライティング」と呼ばれる技法が用いられている。この写真ではさらに、中心にフォーカスをあわせ、周辺部をややぼかすことで、像主が光と影の交った背景から浮かび上がるように見えるイメージを形成している。

　本肖像写真については、弟子の根岸が回顧録の中で、丸木の不在時に弟子の前川謙三が撮影した写真であったと述べている。著者の調査においては、これを実証するには至っていないが、前川は、丸木の写真館に勤めた後に米国に留学してレンブラントライティングの技法を習得し、丸木の写真館に御礼奉公をしている。そのため、伊藤の肖像写真は、前川などによってレンブラント技法が写真館に伝えられ、そうした撮影技法が丸木写真館の内部でも確立された時期に撮影された写真といってよいだろう。この写真と同じ日に撮影されたと推定される次頁の［NO.78］の写真が『日露戦争実記』に掲載されたのは明治37年の春であるため、本写真も明治30年代中頃に撮影された写真であると推定される。

　本写真は、写真の原板を直接焼き付けたものではなく、［NO.79］の写真のように、オリジナルの写真の上に伊藤が署名を入れ、それを引き伸ばしをして複製したものである。伊藤自身は本写真を好み、［NO.79］のように、丸木写真館の台紙に焼き付けた写真に署名を入れて贈ることや、本写真（NO.77）のように署名をいれた複製を毛利家や親族などに配布している。

　しかし、当時のメディアには、向かって左向きの写真ではなく［NO.78］のような、右向きの写真が掲載された。右向きの写真［NO.78］は光が同じ左方向からあたっているため、同じ日に顔の向きを変えて撮影したものと推定される。この右向きの写真は光が左右両頬にあたり、顔が全体的に明るい。また背景も明るく、全体として陰陽の差が少ない。それと比較すると、左向き［NO.77・79］は全体的に暗く陰影差も強い。当時の印刷技術では、陰影差がある写真を表現することが難しいため、なるべく明るい写真が雑誌などの印刷には適していた。そのため、2枚の写真の中で初めに雑誌に登場したのは、右向きの［NO.78］の写真であった。やがて、明治後期から大正期になると、写真印刷技術も発達し、より色が暗く、陰影差のある写真でも鮮明に印刷する技術が発達した。左向きの写真を初めて公に掲載したのは、伊藤博文の葬儀の模様を記録した写真帖『伊藤公爵国葬写真帖』の口絵の写真であった。しかし、より一般的なメディアに掲載されたのは、大正2年に東光園が発行した『日本歴史写真帖』である。同書では、印刷技術の向上により、暗い色調の左向きの伊藤博文の肖像写真を複数部印刷することを実現している。以後伊藤の肖像写真としては、左方向に向いた写真を用いる機会が増加した。そして、戦後になり、千円の日本銀行券の新しい肖像が伊藤博文と決定した時に、原板となる肖像の彫刻を作成する上で参考とされたのが、この『日本歴史写真帖』に掲載された［NO.77・79］の写真であった。この千円の日本銀行券が発行されることによって、丸木の写真館で撮影された左向きの肖像写真は伊藤の代表的な肖像写真として知られるようになった。

　丸木の写真館では、本写真で使用されているレンブラントライティングという技法によって、撮影された肖像写真は決して多くはなく、明治後期から大正にかけて本格的に導入された技法であると推定されている。しかし、人物の鼻筋と輪郭を強調し目を大きく開いて、強い眼差し向けた表情を形作っている点には、他の肖像写真と一貫した共通性がある。伊藤博文の左向きの肖像写真は、丸木が目指してきた強い眼差しを持つ人物像の形成に加えて、陰影とフォーカスの効果によって、人物が浮き立たせるような効果をもった肖像写真として仕上がっている。

NO.78
伊藤博文／明治30年代

個人蔵

解説：本写真は［NO.77］と［NO.79］の同じ日に、向きを変えて撮影した写真で、明治37年に発刊された『日露戦争実記』の口絵に掲載された写真である。同写真はその他の雑誌などにも掲載されており、当時は、向かって右方向に向く写真がメディアに流布していた。

NO.79
伊藤博文／明治30年代

個人蔵

解説：本写真は、［NO.77］と同じ伊藤博文の肖像写真であるが、丸木利陽の写真館の台紙を使用して調製され、陸軍大臣にあてた伊藤自身による署名が記されている。写真の状態が悪いため、写真の一部が変色しているが、伊藤が本写真を様々な人々に贈っていたことを示す資料である。

NO.80
伊藤博文／明治34（1901）年頃
　　　　　　　　　　　　　　個人蔵

解説：本写真は明治34年頃に撮影された伊藤博文の肖像写真である。1901（明治34）年10月24日の日付と伊藤自身のサインがなされている。フロックコートを着用し、胸元には大勲位菊花大綬章の略綬を佩用している。

NO.81
伊藤博文／明治38（1905）年以降
　　　　　　　　　　　　　　個人蔵

解説：本写真は、朝鮮統監の統監服を着用した伊藤博文の肖像写真で最晩年の写真である。胸には、大勲位菊花大綬章と、勲一等旭日桐花大綬章を佩用している。年齢も64歳を越え、老境期に入った様子が、髭の白さや目元の弛みの様子などから伝わってくる。

NO.82
戸田氏共／明治40年代

個人蔵

解説：本写真は美濃大垣藩最後の藩主である戸田氏共（1854-1936）の肖像写真である。戸田氏共は、嘉永7年に生まれ、後に大垣藩の十一代藩主となる。明治維新後に米国に留学し、その後オーストリア公使や宮中顧問官などを歴任する。写真は、左方向に向けた顔に対して、同じ左方向から光をあて、右の頬に影を表出させながら、頬の上部にはハイライトが表れている。戸田の写真は複数知られているが、ほぼ同時期に撮影された別の写真が、大正2年に発刊された『華族画報』に掲載されている。

Ⅳ　明治人の肖像

NO.83
戸田極子／明治40年代

個人蔵

解説：本写真は、戸田氏共の妻である戸田極子（1858-1936）である。極子は岩倉具視の三女として生まれ、明治4年に戸田氏共と結婚する。極子は明治初期に「鹿鳴館の華」とも呼ばれ、社交界において中心的な存在であった。本写真は円熟期に達し、柔らかい線を持つ横顔に光をあてて撮影し、楕円形に写真をフレーミングすることによって、全体として柔らかいイメージに仕上がっている。本写真は伯爵夫人としての風格を備えた、極子の明治後期の姿を写した肖像写真である。

NO.84
毛利元徳と安子夫人/明治20年代

毛利博物館蔵

解説：元長州藩主の毛利元徳（1839-1896）と安子夫人（1843-1925）の肖像写真。毛利元徳は、天保10年に支藩であった徳山藩主毛利広鎮の十男として生まれ、その後本藩の世継ぎとなる。維新後は、華族制度の制定に伴い公爵となり、第十五国立銀行の頭取や貴族院議員を歴任する。妻安子は天保14年に毛利元運の次女として生まれ、その後元徳と結婚する。明治維新後は大日本婦人教育協会会長などを歴任した。裏の台紙は珍しいタイプで、明治20年代以降に使用された台紙である。

Ⅳ 明治人の肖像　107

NO.85
毛利元昭／明治10年代後半から20年頃

毛利博物館蔵

解説：長州藩の元藩主毛利元徳の長子で、後に公爵となり、貴族院議員などを歴任する毛利元昭（1865-1938）の青年期の肖像写真である。台紙の裏には「東京新シ橋内」とあるが、これは丸木の写真館が新シ橋角に移転する、明治22年までに使用されたクレジットである。向って左方向に向ける顔に、右側から光をあて、鼻筋と左の頬の輪郭を際立たせている。毛利家の人物は、明治初期は江崎礼二などの写真館で撮影する機会が多かったが、この時期から丸木の写真館を利用することが多くなっている。

NO.86
毛利元昭／明治後期～大正期

毛利博物館蔵

解説：公爵の有爵者大礼服を着用する毛利元昭の肖像写真で、明治後期から大正時代に撮影された写真と推定される。丸木写真館が重視した、光と影のあわいコントラストを重視する手法で撮影され、カメラから向かって右方向に向ける顔に対して、左方向から光をあてている。毛利元昭は幼少期から晩年まで多数の写真を撮影しているが、壮年期から円熟期に向かう頃の様子を伝える写真である。

IV 明治人の肖像　109

NO.87
毛利安子／明治後期〜大正期

毛利博物館蔵

解説：本写真は、明治後期から大正にかけて撮影されたと推定される毛利安子の肖像写真であり、明治後半に使用されていた白金紙に印画した写真である。白金紙は光沢をおさえ、落ち着きと深みのある像を形成するのに長けた印画紙であったため、光と影の微妙なコントラストを表現することに適していた。本写真でも、淡い光と影を描いた背景画の中に、毛利安子の姿が浮かび上がるイメージが形成されている。夫であった毛利元徳の死後、未亡人として老境期に入った安子の様子を伝える写真である。

110　Ⅳ　明治人の肖像

Ⅳ　明治人の肖像　　111

NO.88
毛利家の集合写真／大正期

毛利博物館蔵

解説：大正期に高輪邸広間前の庭園で撮影した毛利家と親族の集合写真。後列の向って右より、西園寺八郎、小早川四郎、毛利元道、毛利五郎、大村徳敏、小早川式子、西園寺新子、前列の向って右より、毛利濱子、毛利茂登子、毛利顕子、毛利元治、毛利元昭、毛利安子、毛利美佐子、毛利正子、大村梅子。裏面には「高輪邸広間前庭園ニ於テ撮影」と記載されている。明治5年に芝高輪に邸宅を建設し、毛利元徳と安子夫人やその子弟たちがすごした。また、本邸宅では様々な集まりがあり、丸木は複数回集合写真などの撮影に訪れている。

NO.89
大谷籌子／明治30年代後半〜40年代

解説：大谷籌子（1882-1911）は明治15年に公爵九条道孝の三女として生まれる。後に大正天皇の皇后となる節子は妹にあたる。明治31年、17歳の時に西本願寺の法主となる大谷光瑞と結婚するが、この頃より義妹で、後に実家に嫁ぐ九条（大谷）武子と親交を深める。本写真は明治30年代に大谷光瑞と結婚した頃に、右頁の大谷の写真とともに撮影を行ったと推定される。黒を基調とした次頁の夫の写真と対照的に、本写真は顔や装束など、全体に光をあてて、白を基調とした写真に仕上がっている。

Ⅳ　明治人の肖像　113

NO.90
大谷光瑞／明治30年代後半〜40年代

解説：写真は西本願寺（浄土真宗本願寺派）の法主であった、大谷光瑞（1876-1948）の肖像写真である。明治18年に得度し、31年に九条籌子と結婚した後の明治35年に、第1次西域探検に出発する。本写真は向かって左方向に向けた顔に、同じ左方向から光があてられ、左の頬を明るく、右の頬を暗くし、上部にハイライトを表出させている。本写真は袈裟の色調とあわせて黒を基調とした写真となっている。本写真は大谷光瑞の青年期から壮年期に移る時期の代表的な肖像写真である。

NO.91
金子堅太郎／明治40（1907）年頃

個人蔵

解説：金子堅太郎（1853-1942）は嘉永6年に福岡藩に生まれ、米国留学後の明治13年より元老院に出仕し、明治19年に伊藤博文の下で、憲法の起草事業に従事した。その後も様々な要職を歴任し、昭和17年に89歳で死去する。本写真は台紙に「Des. 29. 1907 Kentaro Kaneko」などの記述がある。左方向に向けた顔に対して、同じ左方向から光があてられ、淡い光の中で人物像が浮き出される効果が出ている。本写真は枢密院顧問官となった明治後期の金子の様子を伝える肖像写真である。

Ⅳ　明治人の肖像

NO.92
伊東義五郎／明治40（1907）年頃

個人蔵

解説：伊東義五郎（1858-1919）は松代藩（現在の長野県）に生まれた海軍軍人、実業家である。明治維新後に海軍に入り常備艦隊司令官、横須賀工廠長などを経て、海軍中将となり、退役後は大日本石油鉱業の社長なども務めた。本写真では左に向けた顔に同じ方向から光があてられ、鼻筋と輪郭を表出しながら、眼差しはやや左方向に向けている。構図とライティングは［NO.32］の山縣の肖像写真などと類似している。伊東義太郎の肖像写真としては、比較的公になっていない明治後期の肖像写真である。

NO.93
珍田捨巳／明治20年代後半〜30年代

根岸家蔵

解説：明治から大正にかけて外交官として活躍した珍田捨巳（1857-1929）の肖像である。珍田は陸奥弘前藩（現在の青森県）の出身で米国留学後に外務省に入省して、条約改正や第1次大戦後のパリ講和会議などの交渉に携わる。本写真は明治20年代後半から30年代にかけての撮影と推定される。本写真では、右方向に向けた顔に、左方向より光があてられ、顔の右の輪郭を浮き立たせている。珍田に関しては複数の肖像写真が知られているが、本写真は比較的知られていない明治中頃の肖像写真である。

Ⅳ 明治人の肖像　117

NO.94
勝海舟／明治20年代後半〜30年代

根岸家蔵

解説：旧幕臣で江戸無血開城などに功績のあった勝海舟（1823-99）晩年の肖像写真である。本写真では顔の内部における明暗差は多くないが、大きく開いた眼の中に比較的大きめのハイライトが入っている。明治32年4月1日付の東京朝日新聞によると、同年1月に勝家は丸木の写真館に本写真を大判にして数百枚複製することを依頼し、勝家はその写真を縁のある人々に配布したと伝えている。また複数の書籍や雑誌などにも掲載され、晩年の勝海舟の代表的な肖像として定着することになった。

IV 明治人の肖像

NO.95
桂壽満子
／明治30（1897）年
9月
個人蔵

NO.96
桂壽満子
／明治43（1910）年
7月14日
個人蔵

解説：写真［NO.95］から［NO.99］は、桂太郎［NO.46］の息女であった、桂壽満子（1897-1930）が丸木の写真館で幼年期から結婚に至るまで、撮影した写真を年代順に並べている。実際にはより多くの写真が遺されているが、主だった写真を選定した。丸木の写真館で、幼少期から青年、壮年、晩年期まで写真を撮影し続けた者も少なくなかった。［NO.95］は生後間もない時期の写真であり、［NO.96］は13歳の時に撮影した写真である。［NO.96］は横顔に対して後ろ斜めより光をあて、額や鼻筋の輪郭を際立せている。

Ⅳ　明治人の肖像　119

NO.97
桂壽満子と女性／明治後期

個人蔵

解説：本写真は、桂壽満子の女学生時代の写真と推定される。明治後期から大正にかけての、女性や若い世代による集合写真においては、人物の配置はより柔軟な構図で、より温かみのある背景画が使用されるようになっている。本写真もそのような特色を持つ写真であり、緩やかな雰囲気を持つ明治後期の写真である。大型の集合写真を除いては珍しく、横長の台紙を用いている。向かって左側の女性が壽満子の背に手をかけるなど、2人の親しさが垣間見える構図である。背景の机や、前部の花などはこれまでの他の写真では見られない道具であるため、自宅などでの出張撮影である可能性もある。本写真の台紙のロゴも珍しいもので、明治後期から大正にかけて、これまでにない構図や新しい台紙デザインで調製された写真であると言えよう。

NO.98
桂壽満子
／明治後期〜大正期
個人蔵

NO.99
伊藤文吉と壽満子
／大正期
個人蔵

解説：写真［NO.98］は、成婚時か、あるいは成人に近い年齢になり、縁談を取り結ぶために撮影された写真であると推定される。桂壽満子は大正2年4月2日に伊藤博文の次男で男爵であった伊藤文吉（1885-1951）と結婚した。結婚式は星ヶ岡茶寮で執り行われたが、媒酌人は児玉源太郎の子息である伯爵児玉秀雄であり、式には桂太郎［NO.46］夫妻、伊藤博邦［NO.122］夫妻、井上馨［NO.33］夫妻、末松謙澄［NO.121］夫妻など親戚一同が出席した。［NO.99］の写真は結婚後に撮影した写真である。伊藤文吉は実業界で活躍し、日本鉱業の社長などを歴任した。本写真は、［NO.84］などの明治期における夫婦の写真と比較して、ポーズの付け方や用いられている背景画が、よりやわらかい印象を与える仕上がりとなっている。

Ⅳ 明治人の肖像　121

NO.100
九条家の家族／明治30年代

解説：本写真は九条公爵家と関係する人物が写っている家族写真である。写真の左から2人目が九条道弘の次女で、大谷光瑞の夫人となる九条籌子［NO.89］である。左から3人目が次男で後に分家して九条男爵家を創設し、歌人である大谷（九条）武子と結婚する九条良致（1884-1940）である。また、右端の人物も風貌から籌子の夫である大谷光瑞である可能性が高い。本写真は、背景や小道具の使い方、ポーズや構図の取り方などの点で、格式ばらないやわらかな雰囲気が表出された家族写真である。

NO. 101
五世　中村歌右衛門／明治30年代から40年代

解説：歌舞伎役者である五世中村歌右衛門（1866-1940）の肖像写真である。歌右衛門は、坪内逍遥原作の「桐一葉」の淀殿役で人気を博した後、明治44年に五世中村歌右衛門を襲名する。写真では、左方向に向けた顔に、左斜めから光が照らされ、右側の頬に影を表出させ、目の下にかすかなハイライトが入っている。淡い背景画と組み合わせ、焦点を中心にあてながら、周辺を少しぼかすことで、半身が浮き出る効果を出している。本写真は五世中村歌右衛門の比較的知られていない明治後期の肖像写真である。

Ⅳ 明治人の肖像 123

NO.102,NO.103,NO.104
五世　中村歌右衛門／明治30年代から40年代

解説：前頁とほぼ同じ時期の五世中村歌右衛門の和装姿の肖像写真である。洋装姿の写真と比較して、より明るい部分が多い仕上がりとなっている。前頁の写真と比較して、より定式化されたポーズであり、しっかりと目を見開き、強い眼差しをむける点は、他の多くの肖像写真と共通している。現在では、晩年の写真が用いられるため、比較的知られていない明治後期の肖像写真である。（資料IDは左上から時計回り）

NO.105, 106, 107
七世　松本幸四郎
明治30年代後半〜40年代

解説：歌舞伎役者　七世松本幸四郎（1870-1949）の30代半ば位の写真である。勧進帳の弁慶を当たり役とした他、子供たちを十一世市川團十郎、八世松本幸四郎（初代白鸚）、二世尾上松緑として育てた。比較的和装姿が多かった歌舞伎役者としては珍しい洋装姿の写真である。淡い背景画に、目鼻立ちのはっきりした幸四郎の顔と姿がくっきりと浮かび上がっている。比較的知られていない明治後半の肖像写真である。（資料IDは左上から時計回り）

NO.108, 109
伊井蓉峰／明治30年代

解説：黎明期の新派演劇で活躍した俳優の伊井蓉峰（1871-1932）の肖像写真である。伊井は写真師北庭筑波の子として生まれ、父の没後は三井銀行などに勤務した。その後、川上音二郎一座に参加した後、「男女合同改良演劇」を唱える「済美館」や「伊佐水演劇」を旗揚げし、新派の柱となった。写真は30代頃の明治30年代の写真であると推定される。右方向に向けた顔を方向から光をあて、右の頬の下にハイライトが入っている。

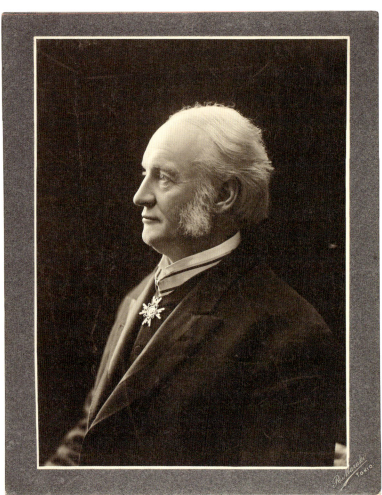

NO.110
外国人の肖像写真／明治30年代後半〜大正初期

解説：本写真は外国人と思われる人物の肖像写真で、胸には瑞宝章を佩用している。顔を横向きにした上で、後方斜めより光をあて、横顔の輪郭が光で照らし出されている。後方に写っている右半身をややぼやけさせることで、中心にある顔と身体が浮き出しているような効果を与えている。同じライティングで撮影された写真として、［NO.96］の桂壽満子の写真をあげることができる。瞳に光が入るとともに、外国人らしい彫の深い顔が強調され、一種神秘的な雰囲気が醸し出されている。

V
アルバム

　左上の写真は丸木家に遺されていた、皇族や名士を撮影した蛇腹式のアルバムである。アルバムは主に皇族や元勲の写真で構成され、撮影後にアルバムにまとめられたものであろう。また右下の写真は丸木家に遺されていた、裕仁親王の立太子の礼の様子を写したアルバムである。こうしたアルバムは丸木の写真撮影の仕事が多方面に及んでいることを示す資料であると言えよう。

NO.111
貞愛親王／明治22〜31（1889〜98）年

解説：貞愛親王（1858-1923）は伏見宮邦家親王第十四王子として生まれ、明治3年に第二十四代目の伏見宮家当主を継承する。陸軍軍人として活躍し、明治22年には陸軍少将、31年には中将となり、それに先立つ明治19年には大勲位菊花大綬章を授与されている。写真は、少将の位を示す袖章に5本の条が入っている制服を着用していることや、佩用している勲章より、親王が少将であった明治22年から31年頃までに撮影された写真である。左方向に向けた顔に右方向から光があてられている。

NO.112
威仁親王妃慰子／明治20年代～30年代前半

解説：威仁親王妃慰子（1864-1923）は、文久4年に加賀藩主前田慶寧の四女として生まれる。明治13年に有栖川宮威仁親王と結婚し、一男二女をもうけた後、大正12年に薨去している。写真は明治20年代から30年代前半に撮影された写真と思われる。背景画の窓と同じ左方向から光をあて、面長の顔の鼻筋と輪郭を浮かび上がらせている。洋装姿の多い皇族としては、珍しい和装姿の写真である。

NO.113
載仁親王／明治37（1904）年〜40年代

解説：載仁親王（1865-1945）は伏見宮邦家親王の第十六王子として生まれる。明治5年に閑院宮家が再興されると、その当主となり、以後陸軍軍人として活躍する。写真は陸軍中将の位階を示す、袖章が六条の制服を着用しているため、明治37年から大正元年までの間に撮影された写真である。右向きの顔に左から光があてられ、目には大きめのハイライトが入っている。ほぼ同じ頃に同一の礼装姿で、胸に飾緒を着用した写真は公に知られているが、飾緒のない本写真は比較的知られていない肖像写真である。

NO.114
載仁親王妃智恵子／明治24（1991）年～30年代前半

解説：載仁親王妃智恵子（1872-1947）は明治5年に三条実美の次女として生まれ、明治24年に閑院宮載仁親王と結婚する。2人の間に2男5女をもうけ、昭和22年に74歳で薨去した。写真では宝冠章を佩用しているため、宝冠章を叙された明治24年から明治30年代前半の撮影と推定される。全体的に影の部分が少なく、白く柔和な顔立ちが強調されている。智恵子妃の写真は多数流布されているが、本写真は比較的知られていない明治中頃の肖像写真ある。

NO.115
菊麿王／明治26〜29（1893〜1896）年

解説：菊麿王（1873-1908）は山階宮晃親王の第一王子として生まれ、一時梨本宮に入るが、明治18年に山階宮に復籍し、主に海軍軍人として活動する。写真では、海軍少尉の位階を示す条が一条の袖章の制服を着用しているため、少尉に任じられた明治26年から29年までの間と推定される。左から強めの光があたり、顔の陰影が少ない写真となっている。明治中頃に撮影された、比較的知られていない、青年期の菊麿王の肖像写真である。菊麿王はこの後、明治41年に34歳の若さで薨去する。

NO.116
能久親王／明治19〜26（1886〜93）年

解説：能久親王（1847-1895）は、伏見宮邦家親王の第九王子として生まれる。その後輪王寺宮として上野寛永寺に入り、幕末は彰義隊などに匿われて仙台藩に逃避する。仙台藩降伏後は蟄居するが、後に許されて北白川宮家を創設し、陸軍軍人となる。本写真では、明治19年に授与された大勲位菊花大勲章を佩用しているため、同年から薨去する26年の間に撮影された写真と推定される。左から入る光によって、鼻筋に沿って柔らかい陰が表出されている。能久親王の明治20年代を代表する肖像写真である。

NO.117
依仁親王／明治27〜32（1894〜99）年の間

解説：依仁親王（1867-1922）は、伏見宮邦家親王第十七王子として生まれる。山階宮晃親王の養子となった後に、小松宮彰仁親王の継嗣となるが、彰仁親王薨去後は、東伏見宮家を創設して当主となる。また、明治25年には山内豊信（容堂）の息女八重子と結婚するが明治29年に離婚する。その後、明治31年に岩倉具定長女の周子［NO.70］と結婚している。写真は小松宮の頃であると推定されるが、直立不動の多かった明治中頃の皇族の写真としては、型通りのポーズを用いていない、比較的珍しい肖像写真である。

NO.118
山内(依仁親王妃)八重子／明治20年代後半

解説：山内(依仁親王妃)八重子は明治2年に山内豊信(容堂)の息女として生まれる。その後小松宮(後の東伏見宮)依仁親王と明治25年結婚するが、明治29年に離婚し、後に秋元興朝の継室となる。写真は明治20年代の結婚前から依仁親王妃であった頃の写真と推定される。八重子が親王妃であった期間を含めて、明治20年代頃の写真は極めて少なく、珍しい写真である。陰影部分は比較的少なく、左から入る明るい光で、八重子の姿が明瞭に写し出されている。

V アルバム

NO.119
三条実美／明治15（1882）年〜20年代前半

解説：三条実美（1837-1891）は三条実万の三男として生まれ、幕末期は尊皇攘夷派として活動し、維新後は太政大臣などを歴任する。本写真は明治中頃の撮影で、向って左向きの写真も存在する。画家のキヨッソーネは本写真に写る右向きの三条を忠実に写して描いたコンテ画（明治22年作）を遺している。明治天皇の御真影はキヨッソーネのコンテ画を丸木が撮影したが、三条の肖像画は丸木の写真を元にキヨッソーネが肖像画を描いており、両者は様々な形の"協力関係"を実践したと言えよう。

NO.120
三条公美／明治20年代後半〜30年代

解説：三条公美（1875-1914）は三条実美の子として明治8年に生まれる。一時、東三条男爵となるが、三条実美の死去後に三条家の家督を継ぎ公爵となる。左頁の実美像と比較すると、左の肩を奥に向けた実美に対して、公美は肩を比較的前に向け、カメラに対して概ね平行である。しかし、顔の向きは2人とも右方向に向け、しっかりとした眼差しを遠方に向けている点が共通している。この2枚の写真は明治20年代から30年代にかけての肖像写真の一つの典型的な「型」を示していると言えよう。

NO.121
末松謙澄／明治20年代後半〜30年代頃

解説：末松謙澄（1855-1920）は豊前国小倉藩（現在の福岡県）に末松房澄の子として生まれた。東京日日新聞社の記者として頭角を現した後に、福地源一郎より伊藤博文を紹介され、官界に転じた。明治22年に伊藤博文の次女生子と結婚した後、第1回総選挙に福岡県から出馬して当選し、その後も逓信相、内相などを歴任した。写真は明治20年代後半から30年代頃の撮影と推定される。右向きの顔に左から光があてられており、鼻筋と顔の右の輪郭に影が表出されている。本写真は末松の代表的な肖像写真の一つである。

NO.122
伊藤博邦／明治30年代

解説：伊藤博邦（1870-1931）は明治3年に、現在の山口県に井上光遠の子、井上馨の甥として生まれ、その後伊藤博文の養子となる。学習院を卒業後に宮内省に入省し、式部次長、式部長官などをつとめた。写真は宮内官大礼服を着用しており、宮内省に奉職していた明治30年代と推定される。父の博文と異なり、政界の表舞台での活動が少なかったため、その肖像写真が父ほど頻繁にメディアに流布されることはなかった。本写真も比較的知られていない明治後期の肖像写真である。

NO.123
鮫島員規／明治27〜30（1894〜97）年

解説：鮫島員規（1845-1910）は薩摩藩（現在の鹿児島県）の藩士であった鮫島新左衛門の長男として生まれる。維新後に海軍に入り、連合艦隊参謀長、佐世保鎮守府司令長官を歴任し、38年に海軍大将に昇進する。写真は少佐の位を表す3本の条を袖章に用いた制服を着用した明治27年から明治30年までの間に撮影された写真である。右向きの顔に左から光があてられ、鼻筋と右の眉に影が、右目の下にハイライトが表出されている。本写真は明治20年代後半における鮫島員規の代表的な肖像写真の一つである。

NO.124
立見尚文／明治27〜31（1894〜98）年

解説：立見尚文（1845-1907）は桑名藩（現在の三重県）に藩士町田伝太夫の三男として生まれ、その後立見家の養子となる。戊辰戦争では旧幕府軍において戦功をたてるが、維新後は謹慎生活を送る。その後、指揮能力を買われて、陸軍に入る。以後、日清・日露の両戦争で功績をあげ、明治39年に旧幕府出身ながら陸軍大将に昇進する。写真は、少将の位を示す5本の条が入った制服を着用しているため、明治27年から31年の間に撮影された写真と推定される。本写真は立見の代表的な肖像写真である。

NO.125
佐藤進／明治20年代後半〜30年代

解説：佐藤進（1845-1921）は弘化2年に常陸国（現在の茨城県）で高和清兵衛の長男として生まれる。佐倉順天堂に入った後、佐藤尚中の長女志津と結婚し、順天堂の運営に関わる。明治2年にはドイツに留学し、帰国後は順天堂病院を拠点にしながら軍医として戦時の治療や指導にあたり、軍医総監も務めた後、大正10年に死去する。本写真とほぼ同時期に撮影された、顔が向かって右向きの写真がよく知られているが、左向きの本写真は、比較的知られていない明治後期の肖像写真である。

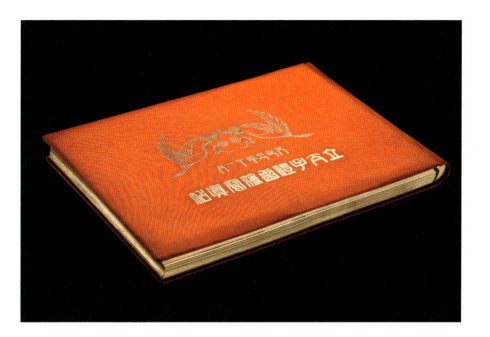

NO.126
立太子礼鹵簿写真帖／大正5（1916）年11月3日

解説：裕仁親王（後の昭和天皇）が皇太子となったことを内外に改めて示す儀式として、大正5年に執り行われた「立太子の礼」の馬車列の様子を写した写真帖である。弟子の根岸栄一郎は回想録の中で「立太子式の模様を沿道で何ヶ所かで写した時は普通の組立暗箱にフォーカルプレーンシャッターを取付けて写した」と記しており、写真館の成員が複数の撮影場所に配置されて、撮影していた様子がわかる。本写真帖は公刊されず宮中など限られた所に納められたものと推定される。写真帖の題にある「鹵簿（ろぼ）」とは儀仗兵などを整えた行幸（行啓）の列の事である。

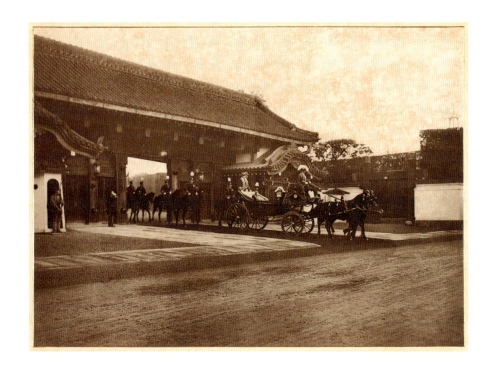

NO.127
東宮御所正門前（御往路）其一／大正5（1916）年11月3日

解説：『昭和天皇実録』によれば、裕仁親王は当日午前7時に高輪の東宮御所を出門し、皇太子旗を捧持した近衛騎兵連隊による儀仗兵に同伴されながら、泉岳寺、田町、日比谷公園を通過し、馬場先門跡の東京市奉祝門に向かった。写真に写る門は、丸の内付近にあった池田家上屋敷表門を移築したものだが、戦後この門は上野の東京国立博物館に移築され、現在は「黒門」として知られている。

NO.128
馬場先門跡東京市奉祝門内（御往路）其五／大正5（1916）年11月3日

解説：馬場先門跡は、現在の皇居外苑付近で、戦前は即位の大礼などの国家的な行事があると、奉祝門などが建てられた場所である。大正5年の立太子礼の時には、東京市が建てた奉祝門があり、馬車列は両側に整列する陸軍の兵士に見守られながら門を通過し、宮城（現在の皇居）の二重橋方面に向かった。

NO.129
宮城正門前(御帰路)其五／大正5(1916)年11月3日

解説：宮城の二重橋広場前では、往復路において、学習院などの学校の生徒が、通過する親王に祝意を示した。『昭和天皇実録』によれば、宮城に入った裕仁親王は、皇族や山縣有朋などの列席者が見守る中、9時25分頃より、宮中三殿において皇太子の証となる、「壺切御剣」を天皇から親授される儀に臨んだ。

V アルバム 147

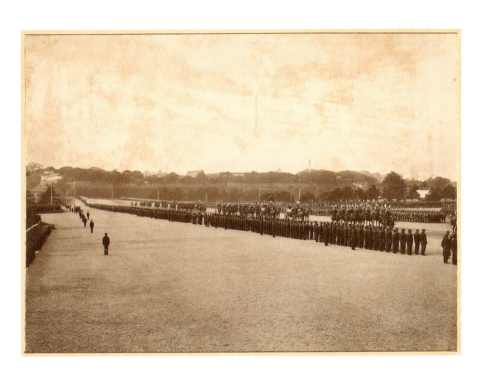

NO.130
馬場先門内広場（御帰路）其一／大正5（1916）年11月3日

解説：「壺切御剣」を親授された裕仁親王は、午前10時20分から40分まで、改めて賢所、皇霊殿、神殿を拝礼した後、午後2時過ぎに宮中正殿にて、天皇と皇后に謁見した。その後、2時30分に宮城を出て、馬場先門跡を通り、高輪の東宮御所に還啓した。

NO.131
馬場先門跡東京市奉祝門外(御帰路)其二／大正5(1916)年11月3日

解説：本写真は帰路、馬場先門跡の奉祝門を通過する馬車列を写した写真である。裕仁親王は「立太子の礼」をもって、皇太子となったことが改めて内外に示され、当日は新聞各紙がその模様を伝えた。立太子の礼をもって裕仁親王は、正式に皇太子となったが、当日は新聞各紙がその模様を伝えるとともに、各雑誌なども、当日の沿道の様子や、親王の誕生からこれまでの成長の様子を写真を用いて伝えており、その中には丸木が撮影した写真も多数含まれていた。皇太子は、この2年後の大正7年には久邇宮良子女王との婚約が内定し、大正8年に成年式、大正10年には摂政に就任する。そしてその5年後には父である大正天皇が崩御し、激動の昭和を迎えることになる。一方、丸木はこの写真が撮影された7年後の大正12年に68歳の生涯を閉じた。

VI
丸木家と写真館

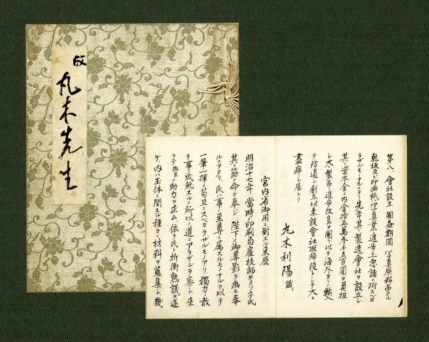

解説：弟子の伊東末太郎らが戦後に丸木利陽の業績をまとめた私家本である、『故丸木先生』の表紙とその内容の一部である。丸木の履歴の他、弟子の名前の一覧などが記されている。

NO.132
丸木利陽／明治22（1889）年〜30年代前半

解説：丸木利陽の比較的若い頃の肖像写真である。台紙のロゴには「ATARASHIBASHI KADO」とあるので、芝区新桜田町に移転した後の写真である。そのため、30代後半から40代前半頃の写真である。床の絨毯は明治30年代に撮影された他の写真でも、用いられていることが確認されている。

NO.133
丸木利陽／大正前期

解説：宮内官大礼服を着用していることから、御真影撮影のために、宮内省の御用掛となった大正2年秋以降の大正前期に撮影された写真と推定される。丸木は大正2年の時点で59歳となっており、開業から33年が経過していた。丸木利陽の肖像写真は、宮内官大礼服を着用した本写真がよく用いられており、大正期における丸木の代表的な肖像写真である。

NO.134
丸木駒子
／明治後期

NO.135
丸木利陽、中島待乳、小川一眞
撮影：小川一眞
／明治30年代後半〜40年代

解説：丸木駒子は丸木の2番目の妻で、前妻の妹であると伝えられている。質素倹約を心掛け、家族ばかりではなく、奉公人や使用人を含めた丸木写真館全体を切り盛りしていた。その活躍ぶりは当時発刊された『明治豪商の夫人』（大学館：1903）でも伝えられた。

解説：左端が丸木利陽、右端は小川一眞、中央は写真師の中島待乳。中島待乳（1850-1915）は嘉永3年に現在の千葉県銚子市に生まれる。横山松三郎に写真術をまなび、明治7年に東京で写真館を開業する。尚、同じ写真は行田市歴史博物館が所蔵する、小川家旧蔵アルバムにも貼られている。

NO.136
丸木利雄／明治30年代
撮影：望月東崖

解説：丸木利陽の子息丸木利雄の肖像写真。東京帝国大学理科大学（現在の東京大学理学部）に進学し、将来を嘱望されながら、大正5（1916）年に若くして没する。

NO.137
竹内宗吉／明治後期～大正期
撮影：不明

解説：丸木利陽の実の弟で青森に移住した竹内宗吉の写真。宗吉は利陽と父母を同じくする兄弟であるが、共に福井を出て、丸木が東京に向かったのに対して、宗吉は青森に向かい、そこで仕事と家族を持った。その後も丸木とは終生交流を保ち続けた。

NO.138
御真影調製室
明治22（1889）年以降

解説：写真館に設けられた御真影調整室。入口には御幣が垂らされている。また部屋の周囲の壁には、様々な写真が額装されて飾られているのがわかる。

NO.139
御真影調製用水／明治22（1889）年以降

解説：写真館内に用意された御真影調製用の水。調製を行う者も、作業前には身を清める必要があったと伝えられている。

写真館の弟子たち

　写真館の運営を担った弟子達は、入門に際しては地縁、血縁と弟子や丸木の周囲の人物からの紹介が多かった。また丸木の出身地の福井で新聞広告を出し、弟子を募集していた。入門すると約5年間の厳しい徒弟制度の中におかれ、休みは実質盆のみであった。最初は下足係から始まるが、約3年位で焼付け係となる。館内は清潔に保つように言われ、冬の寒い時期に火鉢に手をあてていると、丸木夫人より叱られるくらい厳しいものであった。

　明治40年から大正の初期に入門した根岸栄一郎によれば、弟子は写真館に住み込み、3年間は郷里に帰ることができず、それ以降も休みは年1回程度であった。弟子入り当初は玄関番や掃除当番を務めた。夜は10時が門限で、9時30分になると丸木夫人が鍵を持って玄関に立っているため外出は難しく、風呂屋に行くくらいか、風呂屋に行くと言って、映画館や寿司屋に行くくらいであったという。慣れた者は、丸木の写真館では、朝は表からハタキをかけながら掃除をする習慣になっていたので、裏にあった桑原という台紙屋に宿泊し、朝早くハタキを使用しながら写真館に入った。

　寝る場所も役割の高さによって階数が異なり、最も地位の低い弟子は1階で寝起きするが、焼付係となれば、2階の6畳間で寝ることになり、写場に出る頃になると3階で寝起きをしていた。焼付係となるのは2-3年の間であるが、その中で修正や引き伸ばしも収得する必要がある。

　弟子達はみな和服姿にタスキ掛けで、修行中は早朝起きて、井戸水をかぶり、宮詣をして技術の向上を祈念していた。在館中は、7年から8年を経過しても、自身で客を撮影することは思いもよらず、丸木の目をかすめて、同僚をモデルとして、練習を行った。そして、長年仕え、修行が終わる頃には写場に出される。写場に出ると、終始ネガ取替が仕事で、その合間に丸木と技師長から採光などの技術を習得する。そして、皇族や華族の写真が仕上がった時には、弟子が各家に写真を持参し集金する。

　修行が終わると、技師として写真館に残るか、あるいは他館に修行に出るか、資金がある場合は自ら開業する、といった道があった。独立には必ずしも丸木の支援があったわけではなかった。開業のための十分な資金がない場合は、資金を蓄えるため、技師として丸木の写真館に残ることもあったという。独立することができた弟子は、創業した各地の写真館において、顧客の誕生、七五三、進学、出征、結婚などの各種の記念写真の撮影を行い、各地域の写真館主として活動していった。

［参考資料］
光山香至『丸木利陽伝』1977
根岸栄一郎「回想手記『丸木時代の想出』」本書、169-180頁

NO.140
丸木利陽と技師・弟子達／明治20年代後半から30年代前半

解説：丸木利陽と写真館の技師や弟子達を撮影した集合写真。中央の丸木利陽の前に座るのが丸木利雄、前列に座る男性の中で右端が井口義雄、また丸木利陽の右に座るのが望月東崖と推定される。裏面には印画紙の１つである「アリストプーラチナム」という名称が書かれている。

NO.141
丸木利陽と技師・弟子達／明治30年代

解説：明治30年代の集合写真。前列の左から１人目が井口義雄、３人目が丸木利雄、最後列の右から１人目が米村清治と推定される。

VI 丸木家と写真館　157

NO.142
写真館応接間での弟子達の集合写真／明治末～大正時代

伊東家旧蔵

解説：明治末から大正期と思われる、丸木写真館の応接間における弟子達による集合写真。応接間には皇族妃などの肖像写真が多数飾られていたことがわかる。裏書には、後列右から「伊東　山田　斉藤　成瀬　山本」中列右から「巳野、吉田、井口、望月、前川、平野、米村」前列右から「斉藤、中野、玉腰、鈴木」と記述がされている。

NO.143
丸木写真館の「領収書 兼 引換証」／明治37（1904）年5月16日

伊東家旧蔵

解説：本資料は、丸木写真館が明治37年5月16日に「白金上等」の写真を「一組」3円で撮影・調製した時の「領収書兼引換証」である。但し書には「但シ雨天順延一週間目ニ調製之事　御写真ハ此證書ト引替之事　種板ハ永世保存致置候ニ付復写御入用ノ節ハ番号御認ノ上御注文被成下度併御採影ノ年月日御姓名御記載アレバ番号ヲ要セズ候」とある。

掲載写真目録

ID	資料名／成立時期	寸法（全体）	所蔵	形態
NO.1	明治天皇／明治21（1888）年	660×430	スミソニアン協会、Freer Gallery of Art and Arthur M. Sackler Gallery Archives 蔵	紙焼写真（額装）
NO.2	昭憲皇太后／明治22（1889）年 ［撮影：鈴木真一／丸木利陽］	660×430	スミソニアン協会、Freer Gallery of Art and Arthur M. Sackler Gallery Archives 蔵	紙焼写真（額装）
NO.3	昭憲皇太后／明治22（1889）年 ［撮影：鈴木真一／丸木利陽］	471×361	香川攏一蔵（皇學館大学史料編纂所借用）	紙焼写真
NO.4	昭憲皇太后／明治22（1889）年 ［撮影：鈴木真一／丸木利陽］	472×558	香川攏一蔵（皇學館大学史料編纂所借用）	紙焼写真
NO.5	皇太子 嘉仁親王（大正天皇）／明治33（1900）年	468×361	丸木家蔵	紙焼写真
NO.6	皇太子妃 節子（貞明皇后）／明治33（1900）年	463×356	丸木家蔵	紙焼写真
NO.7	皇太子妃 節子（貞明皇后）／明治30〜40年代	217×166	丸木家蔵	紙焼写真
NO.8	皇太子妃 節子（貞明皇后）／明治30〜40年代	424×350	丸木家蔵	紙焼写真
NO.9	大正天皇／大正元（1912）年秋頃	425×350	丸木家蔵	紙焼写真
NO.10	大正天皇／大正元（1912）年秋頃	425×350	丸木家蔵	紙焼写真
NO.11	大正天皇／大正4（1915）年6月 ［撮影者：宮内省調度寮写真部］	467×360	個人蔵	紙焼写真
NO.12	貞明皇后／大正5（1916）年7月 ［撮影者：宮内省調度寮写真部］	467×358	個人蔵	紙焼写真
NO.13	迪宮裕仁親王（昭和天皇）と淳宮雍仁親王／明治37（1904）年6月	195×147	丸木家蔵	紙焼写真
NO.14	迪宮裕仁親王／明治37（1904）年頃	194×144	丸木家蔵	紙焼写真
NO.15	淳宮雍仁親王／明治37（1904）年頃	179×125	丸木家蔵	紙焼写真
NO.16	淳宮雍仁親王／明治37（1904）年頃	195×147	丸木家蔵	紙焼写真
NO.17	迪宮裕仁親王と淳宮雍仁親王／明治37（1904）年頃	192×146	丸木家蔵	紙焼写真
NO.18	迪宮裕仁親王／明治38〜39（1905〜06）年 ［撮影：丸木利陽／小川一眞（推定）］	270×210	丸木家蔵	紙焼写真
NO.19	淳宮雍仁親王／明治38〜39（1905〜06）年 ［撮影：丸木利陽／小川一眞（推定）］	268×206	丸木家蔵	紙焼写真
NO.20	光宮宣仁親王、淳宮雍仁親王、迪宮裕仁親王／明治39（1906）年6月	421×350	丸木家蔵	紙焼写真
NO.21	光宮宣仁親王／明治39（1906）年頃	268×208	丸木家蔵	紙焼写真

ID	資料名／成立時期	寸法（全体）	所蔵	形態
NO.22	淳宮雍仁親王、光宮宣仁親王、迪宮裕仁親王／明治40（1907）年9月	424×349	丸木家蔵	紙焼写真
NO.23	迪宮裕仁親王／大正元（1912）年10月1日	270×210	丸木家蔵	紙焼写真
NO.24	迪宮裕仁親王／大正元（1912）年10月1日	270×210	丸木家蔵	紙焼写真
NO.25	淳宮雍仁親王／大正元（1912）年10月1日	270×210	丸木家蔵	紙焼写真
NO.26	光宮宣仁親王／大正元（1912）年10月1日	318×225	丸木家蔵	紙焼写真
NO.27	久邇宮良子女王（香淳皇后）／大正前期	318×225	丸木家蔵	紙焼写真
NO.28	久邇宮良子女王／大正前期	318×226	丸木家蔵	紙焼写真
NO.29	久邇宮良子女王／大正前期	328×203	丸木家蔵	紙焼写真
NO.30	写真を入れた封筒／大正前期	394×205	丸木家蔵	紙焼写真
NO.31	宮内省調度寮写真部の集合写真／大正前期［撮影者：不明］	197×283	丸木家蔵	紙焼写真
NO.32	山縣有朋／明治23（1890）年6月頃	140×99	丸木家蔵	紙焼写真
NO.33	井上馨／明治30年代	141×99	丸木家蔵	紙焼写真
NO.34	山田顕義／明治20年代	140×99	丸木家蔵	紙焼写真
NO.35	松方正義／明治30年代	141×100	丸木家蔵	紙焼写真
NO.36	徳川慶喜／明治30年代初頭	141×99	丸木家蔵	紙焼写真
NO.37	伊藤博文／明治29（1896）年11月3日	141×100	丸木家蔵	紙焼写真
NO.38	岩倉具定／明治33（1900）年11月3日	141×100	丸木家蔵	紙焼写真
NO.39	一条実孝／明治30年代後半～40年代	141×100	丸木家蔵	紙焼写真
NO.40	西園寺公望／明治30年代	141×99	丸木家蔵	紙焼写真
NO.41	鍋島直大／明治30年代	141×99	丸木家蔵	紙焼写真
NO.42	蜂須賀茂韶／明治30年代	141×99	丸木家蔵	紙焼写真
NO.43	副島種臣／明治20年代後半～30年代	141×99	丸木家蔵	紙焼写真
NO.44	板垣退助／明治30年代	141×100	丸木家蔵	紙焼写真
NO.45	田中光顕／明治20年代後半～30年代	140×99	丸木家蔵	紙焼写真
NO.46	桂太郎／明治28～31（1895～98）年	141×99	丸木家蔵	紙焼写真
NO.47	橋本綱常／明治38～42（1905～09）年	141×98	丸木家蔵	紙焼写真
NO.48	榎本武揚／明治30年代後半	140×99	丸木家蔵	紙焼写真
NO.49	児玉源太郎／明治30年代	141×100	丸木家蔵	紙焼写真
NO.50	渡辺国武／明治20年代～30年代	141×99	丸木家蔵	紙焼写真
NO.51	佐野常民／明治30年代	141×100	丸木家蔵	紙焼写真
NO.52	青木周蔵／明治20年代後半～30年代	141×99	丸木家蔵	紙焼写真
NO.53	伊東祐亨／明治31～39（1898～1906）年	141×99	丸木家蔵	紙焼写真
NO.54	芳川顕正／明治29（1896）年～30年代	141×98	丸木家蔵	紙焼写真
NO.55	曾禰荒助／明治20年代後半～30年代前半	141×100	丸木家蔵	紙焼写真
NO.56	福澤諭吉／明治20年代	141×100	丸木家蔵	紙焼写真

掲載写真目録

ID	資料名／成立時期	寸法（全体）	所蔵	形態
NO.57	林有造／明治30年代	140×98	丸木家蔵	紙焼写真
NO.58	岩崎彌之助／明治30年代	140×98	丸木家蔵	紙焼写真
NO.59	三井高棟（八郎右衛門）／明治25～29（1892～96）年	140×99	丸木家蔵	紙焼写真
NO.60	中上川彦次郎／明治26（1893）年頃	140×99	丸木家蔵	紙焼写真
NO.61	益田孝／明治30年代	140×99	丸木家蔵	紙焼写真
NO.62	山本権兵衛／明治34～37（1901～04）年	140×99	丸木家蔵	紙焼写真
NO.63	北白川宮家写真原板収容箱／明治43（1910）年頃	200×163×160	個人蔵	収容容器
NO.64	成久王妃房子内親王（原板）／明治42（1909）年頃	160×120	個人蔵	写真原板
NO.65	成久王妃房子内親王（原板）／明治42（1909）年頃	160×120	個人蔵	写真原板
NO.66	成久王妃房子内親王と永久王（原板）／明治43年（1910）年頃	160×120	個人蔵	写真原板
NO.67	北白川宮永久王（原板）／明治43（1910）年頃	160×120	個人蔵	写真原板
NO.68	恒久王妃昌子内親王と成久王妃房子内親王（原板）／明治42（1909）年頃	160×120	個人蔵	写真原板
NO.69	菊麿王妃常子／明治30年代後半から40年代	230×135	丸木家蔵	紙焼写真
NO.70	依仁親王妃周子／明治30年代	300×140	岩倉具忠蔵	紙焼写真
NO.71	皇族の集合写真／明治38年～40年代前半	550×700	岩倉具忠蔵	紙焼写真
NO.72	高倉寿子／明治25（1892）年7月5日	164×107	丸木家蔵	紙焼写真
NO.73	小倉文子／明治30年代	165×108	丸木家蔵	紙焼写真
NO.74	柳原愛子／明治20年代～30年代	199×148	丸木家蔵	紙焼写真
NO.75	園祥子　明治20～30年代	203×151	丸木家蔵	紙焼写真
NO.76	皇族妃とその子弟／大正11（1922）年9月	97×143	丸木家蔵	紙焼写真
NO.77	伊藤博文／明治30年代	540×400	個人蔵	複製写真
NO.78	伊藤博文／明治30年代	222×137	個人蔵	印刷写真
NO.79	伊藤博文／明治30年代	695×538	個人蔵	紙焼写真
NO.80	伊藤博文／明治34（1901）年頃	220×200	個人蔵	紙焼写真
NO.81	伊藤博文／明治38（1905）年以降	111×65	個人蔵	紙焼写真
NO.82	戸田氏共／明治40年代	201×148	個人蔵	紙焼写真
NO.83	戸田極子／明治40年代	200×148	個人蔵	紙焼写真
NO.84	毛利元徳と安子夫人／明治20年代	330×190	毛利博物館蔵	紙焼写真
NO.85	毛利元昭／明治10年代後半から20年頃	167×110	毛利博物館蔵	紙焼写真
NO.86	毛利元昭／明治後期～大正期	225×145	毛利博物館蔵	紙焼写真
NO.87	毛利安子／明治後期～大正期	220×150	毛利博物館蔵	紙焼写真
NO.88	毛利家の集合写真／大正期	347×425	毛利博物館蔵	紙焼写真
NO.89	大谷籌子／明治30年代後半～40年代	301×239	丸木家蔵	紙焼写真
NO.90	大谷光瑞／明治30年代後半～40年代	271×212	丸木家蔵	紙焼写真
NO.91	金子堅太郎／明治40（1907）年頃	277×177	個人蔵	紙焼写真

ID	資料名／成立時期	寸法（全体）	所蔵	形態
NO.92	伊東義五郎／明治40（1907）年頃	257×175	個人蔵	紙焼写真
NO.93	珍田捨巳／明治20年代後半〜30年代	130×90	根岸家蔵	紙焼写真
NO.94	勝海舟／明治20年代後半〜30年代	260×210	根岸家蔵	紙焼写真
NO.95	桂壽満子／明治30（1897）年9月	105×61	個人蔵	紙焼写真
NO.96	桂壽満子／明治43（1910）年7月14日	200×144	個人蔵	紙焼写真
NO.97	桂壽満子と女性／明治後期	235×170	個人蔵	紙焼写真
NO.98	桂壽満子／明治後期〜大正期	170×125	個人蔵	紙焼写真
NO.99	伊藤文吉と壽満子／大正期	220×180	個人蔵	紙焼写真
NO.100	九条家の家族／明治30年代	220×175	丸木家蔵	紙焼写真
NO.101	五世　中村歌右衛門／明治30年代から40年代	227×152	丸木家蔵	紙焼写真
NO.102	五世　中村歌右衛門／明治30年代から40年代	140×98	丸木家蔵	紙焼写真
NO.103	五世　中村歌右衛門／明治30年代から40年代	140×98	丸木家蔵	紙焼写真
NO.104	五世　中村歌右衛門／明治30年代から40年代	140×98	丸木家蔵	紙焼写真
NO.105	七世　松本幸四郎 明治30年代後半〜40年代	140×98	丸木家蔵	紙焼写真
NO.106	七世　松本幸四郎 明治30年代後半〜40年代	140×98	丸木家蔵	紙焼写真
NO.107	七世　松本幸四郎 明治30年代後半〜40年代	140×98	丸木家蔵	紙焼写真
NO.108	伊井蓉峰／明治30年代	140×98	丸木家蔵	紙焼写真
NO.109	伊井蓉峰／明治30年代	140×98	丸木家蔵	紙焼写真
NO.110	外国人の肖像写真／明治30年代後半〜大正初期	306×224	丸木家蔵	紙焼写真
NO.111	貞愛親王／明治22〜31（1889〜98）年	143×98	丸木家蔵	紙焼写真
NO.112	威仁親王妃慰子／明治20年代〜30年代前半	141×98	丸木家蔵	紙焼写真
NO.113	載仁親王／明治37（1904）年〜40年代	142×98	丸木家蔵	紙焼写真
NO.114	載仁親王妃智恵子／明治24（1991）年〜30年代前半	143×97	丸木家蔵	紙焼写真
NO.115	菊麿王／明治26〜29（1893〜1896）年	141×98	丸木家蔵	紙焼写真
NO.116	能久親王／明治19〜26（1886〜93）年	142×98	丸木家蔵	紙焼写真
NO.117	依仁親王／明治27〜32（1894〜99）年の間	143×98	丸木家蔵	紙焼写真
NO.118	山内（依仁親王妃）八重子／明治20年代後半	141×98	丸木家蔵	紙焼写真
NO.119	三条実美／明治15（1882）年〜20年代前半	141×98	丸木家蔵	紙焼写真
NO.120	三条公美／明治20年代後半〜30年代	141×98	丸木家蔵	紙焼写真
NO.121	末松謙澄／明治20年代後半〜30年代頃	141×99	丸木家蔵	紙焼写真
NO.122	伊藤博邦／明治30年代	141×98	丸木家蔵	紙焼写真
NO.123	鮫島員規／明治27〜30（1894〜97）年	142×98	丸木家蔵	紙焼写真
NO.124	立見尚文／明治27〜31（1894〜98）年	141×98	丸木家蔵	紙焼写真
NO.125	佐藤進／明治20年代後半〜30年代	141×98	丸木家蔵	紙焼写真
NO.126	立太子礼鹵簿写真帖／大正5（1916）年11月3日	285×380×31	丸木家蔵	写真帖
NO.127	東宮御所正門前（御往路）其一／大正5（1916）年11月3日	195×271	丸木家蔵	印刷写真

ID	資料名／成立時期	寸法（全体）	所蔵	形態
NO.128	馬場先門跡東京市奉祝門内（御往路）其五／大正5（1916）年11月3日	196×271	丸木家蔵	印刷写真
NO.129	宮城正門前（御帰路）其五／大正5（1916）年11月3日	196×271	丸木家蔵	印刷写真
NO.130	馬場先門内広場（御帰路）其一／大正5（1916）年11月3日	196×272	丸木家蔵	印刷写真
NO.131	馬場先門跡東京市奉祝門外（御帰路）其二／大正5（1916）年11月3日	196×272	丸木家蔵	印刷写真
NO.132	丸木利陽／明治22（1889）年～30年代前半	196×108	丸木家蔵	紙焼写真
NO.133	丸木利陽／大正前期	267×190	丸木家蔵	紙焼写真
NO.134	丸木駒子／明治後期	198×148	丸木家蔵	紙焼写真
NO.135	丸木利陽、中島待乳、小川一眞／明治30年代後半～40年代［撮影：小川一眞］	227×138	丸木家蔵	紙焼写真
NO.136	丸木利雄／明治30年代［撮影：望月東崖］	190×134	丸木家蔵	紙焼写真
NO.137	竹内宗吉／明治後期～大正期［撮影：不明］	232×148	丸木家蔵	紙焼写真
NO.138	御真影調製室／明治22（1889）年以降	178×134	丸木家蔵	紙焼写真
NO.139	御真影調整用水／明治22（1889）年以降	133×178	丸木家蔵	紙焼写真
NO.140	丸木利陽と技師・弟子達／明治20年代後半から30年代前半	108×164	丸木家蔵	紙焼写真
NO.141	丸木利陽と技師・弟子達／明治30年代	148×196	丸木家蔵	紙焼写真
NO.142	写真館応接間での弟子達の集合写真／明治末～大正時代	106×155	伊東家旧蔵	紙焼写真
NO.143	丸木写真館の「領収書兼引換証」／明治37（1904）年5月16日	130×153	伊東家旧蔵	文書資料

※　写真頁において特に所蔵先の明記がない資料は丸木家所蔵の写真資料。
※　写真の寸法は縦×横（ミリ）。

資料編
丸木写真館における台紙の特徴

　丸木利陽の写真館では複数種類の台紙を使用している。これらのロゴおよび図案は大きく分けて2種類存在する。1種類目は台紙の表面下部に印刷される写真館のロゴである。これらについては表1にまとめたが、サイズに応じて複数の種類が存在する。最初のタイプ（1）は極めて稀なタイプであるが、明治20年代に撮影された写真の台紙で確認することができる。一方でタイプ（2）も、肖像写真を掲載した写真の台紙に広く用いられており、明治20年代から30年代にかけて撮影された写真において広く確認することができる。多くの場合、これらは金文字でロゴや図案が刻印されている。また、この中で筆記体の英字ロゴを基本としながら、他のマークとの組み合わせによって、多くのバリエーションを有するのはタイプ（3）からタイプ（5）である。いずれも「R. Maruki」と書かれたロゴの右に、日本や東京といった地名などが掲載されているデザインである。これらは、肖像写真の台紙に広く用いられたデザインで、明治20年代に撮影された写真から確認することができる。タイプ（6）はあまり確認されないタイプであるが、タイプ（7）は、サイズが大きい台紙に用いられるタイプのロゴである。このロゴは、小川一眞の写真館が用いていたロゴと極めてよく似ているのも特徴である。どちらの写真館が先に、このデザインを取り入れたかは不明であるが、ロゴは各写真館の個性を表す表現である一方で、似たようなデザインのロゴを使用する事もよく見られた。
　一方で、より大型の台紙の写真の下に用いられていたロゴが、タイプ（8）から（10）である。これらは、集合写真などを写した大型の写真に使用された台紙の下部に印刷されたロゴであり、明治20年代から30年代にかけて撮影された写真に用いられていた。一方で、2つ折のフォルダー式の台紙などで使用されていたロゴとしてタイプ（13）の角印タイプのしるしをあげることができる。また、2つ折のフォルダータイプの台紙の多くには、タイプ（12）のようなエンボスタイプのライオンのマークが入っていた。またその他にも、タイプ

表1：丸木利陽の写真館で使用されていた台紙表面のロゴの一部（他にも多数存在する）

タイプ番号	台紙の画像	特　徴	
タイプ（1）		明治20年代	主に長方形縦長の写真の台紙の下部に印字されたマーク
タイプ（2）		明治20～30年代	主に長方形縦長の写真の台紙の下部に印字されたマーク
タイプ（3）		明治20年代の写真を中心に確認されている	主に長方形縦長の写真の台紙の下部に印字されたマーク
タイプ（4）		明治20年代の写真を中心に確認されている	主に長方形縦長の写真の台紙の下部に印字されたマーク
タイプ（5）		明治20年代の写真を中心に確認されている	主に長方形縦長の写真の台紙の下部に印字されたマーク
タイプ（6）		明治30年代の写真を中心に確認されている	主に長方形縦長の写真の台紙の下部に印字されたマーク
タイプ（7）		明治30年代の写真を中心に確認されている	様々な大きさの台紙に使用された

丸木写真館における台紙の特徴

タイプ(8)		明治30年代から40年代の写真を中心に確認されている	様々な大きさの台紙に使用された
タイプ(9)		明治20年代から30年代の写真を中心に確認されている	主に大判写真の台紙に使用された
タイプ(10)		明治20年代から30年代の写真を中心に確認されている	主に大判写真の台紙に使用された
タイプ(11)		明治40年頃の写真を中心に確認されている	
タイプ(12)		明治末頃の写真を中心に確認されている	主にフォルダー型の台紙に用いられた
タイプ(13)		明治30年代頃の写真を中心に確認されている	主にフォルダー型の台紙に用いられた
タイプ(14)		明治30年から40年代の写真を中心に確認されている	
タイプ(15)		明治35年頃の写真を中心に確認されている	

(11) や、(14)、(15) などがあるが、これらのタイプの台紙は珍しいマークである。

次に、台紙裏のデザインであるが、これらは確認されているだけで、6種類存在している。最初のタイプ（1）とタイプ（2）は、三条公邸内で開業した、明治13年から移転する前の明治22年頃まで使用されていた台紙裏のデザインである。台紙の裏には「新シ橋内」と表記されている。そして、明治22年頃から使用されているのが、タイプ（3）以降のデザインである。この中で、最も多く確認されているのが、タイプ（4）の台紙である。このタイプには種板番号を記載できるものとできないものなど、細かいバリエーションがあるものの、多くの台紙の裏に統一して用いられていたデザインである。この台紙は明治20年代から長い期間に渡って使用されたタイプであると考えられている。また、その後明治30年代頃の台紙に使用されたことが確認されているのがタイプ（5）のデザインである。（4）と（5）の関係は不明であるが、両方のデザインが丸木利陽の写真館の最盛期であった明治30年代以降に使用されていることが確認されている。一方で同じ頃に使用されながら確認数が極めて少ない台紙が、タイプ（6）である。

このように、丸木利陽の写真館では、極めて多くの種類の台紙が存在し、丸木が写真のみならず、台紙の意匠にもこだわり、そのスタイルを一定期間ごとに見直していたことがわかる。台紙については、弟子の根岸栄一郎が「台紙は春ドイツへ注文秋になり大きな箱づめ二三個くる。よく乾燥された小さな（台紙）でも水を使用。又よいものを桑原台紙店へ見せ研究させ作らせたものである。」と回想している。

根岸氏が述べている台紙はどのタイプのものであるかは明確ではないが、何らかの台紙をドイツより輸入し、それらを隣接していた桑原台紙店に研究させ、新たな台紙を作らせていたようである。また台紙は、ロゴや裏のデザインだけではなく、材質や写真をフレーミングする枠組み、さらに色など様々な要素によって構成されるが、丸木写真館では他の写真館と比較して、多数の種類の台紙を用意していた。筆者は様々な家で丸木利陽撮影の写真を目にするが、中には同じ写真を色違いの台紙を用いて複数枚納めていた例などを確認している。また、本書の［NO.83］に掲載した戸田極子の肖像写真などは、女性の柔和

丸木写真館における台紙の特徴　*167*

表2：丸木利陽の写真館で使用されていた代表的な台紙の裏面のデザイン

タイプ番号	台紙の画像	特　　徴	
タイプ(1)		明治13年～明治22年	主に長方形縦長の台紙の裏側に用いられた。
タイプ(2)		明治13年～明治22年	主に長方形縦長の台紙の裏側に用いられた。
タイプ(3)		明治22年以降	主に長方形縦長の台紙の裏側に用いられた。
タイプ(4)		明治23年以降	様々なサイズの写真の台紙の裏側に用いられた。図柄に第三回内国勧業博覧会のメダルが刻印されている。

タイプ（5）		明治23年以降	様々なサイズの写真の台紙の裏側に用いられた。図柄に第三回内国勧業博覧会のメダルが刻印されている。
タイプ（6）	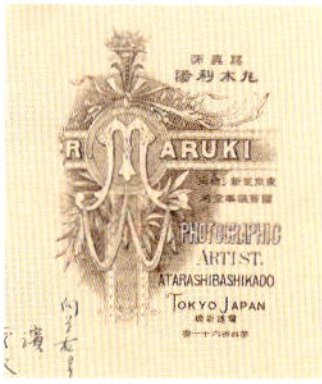	明治35年頃の写真で確認されている。	様々なサイズの写真の台紙の裏側に用いられた。

な横顔とうまく調和するフレーミングを行っており、写真との親和性を考えて台紙を用いている。

　丸木利陽の美意識は、写真だけではなく写真との調和を考えて台紙をデザインし、定期的にそれらを改良していく点にも見出すことができる。このような台紙へのこだわりは他の同時代の写真館と比較しても極めて強く、こうした細部に至る繊細な配慮が丸木利陽の名声を維持することにつながったと考えられよう。

【資料所蔵元】

表1：タイプ1、2、4、6、9、10、13、14は岩倉具忠蔵、11、12、13、15は丸木家蔵、3は毛利博物館蔵

表2：タイプ1、2、3、5、6は毛利博物館蔵、4は丸木家蔵

関連資料Ⅰ
根岸栄一郎　回想手記「丸木時代の想出」

　本資料は、明治の末から大正にかけて丸木写真館に弟子入りし、その後、富山県富山市にて「ネギシ写真館」を開業した根岸栄一郎氏が生前に記した回想録である。根岸氏は明治29 (1896) 年に群馬県前橋市で生まれ、明治43 (1910) 年に丸木利陽の写真館に入門する。後に富山において「ネギシ写真館」を開業し、富山県写真師協会長などを務め、昭和52 (1977) 年に死去する。本回想録は昭和44 (1969) 年に執筆されたものである。原文は、話題ごとに２～３枚の原稿用紙にまとめられて記されているが、句読点がふられていない箇所もあることと、内容に重複なども見られる。そのため、ここでは、原文を尊重しながら適宜句読点と字句の修正を行い、構成も読みやすいように並びかえて掲載した。内容については様々な方面から検証を進める必要があるため、広い知見を集め、今後の研究に役立てるため、ご子孫の協力を得た上で、活字化して本書に掲載する。（編者）

根岸栄一郎夫妻（左）と現在のネギシ写真館（右）

§変遷する我が業界と吾が人生

　時は正に明治四十三年　江戸時代より続く封建制度は今にして残る。考へれば到底想像も及ばないものである。先づ写真師にならんと欲すれば（当時は今のように専門的な職業学校として無い）写真館へ入門することによって始まり、徒弟の関係が出来る。無論住み込みである。先づ三年間は里心がつくと郷里には帰さない。定休は年二回盆と正月。この正月は業界繁忙期で休みはない考へると、年に一度という事になる。初めは玄関番、無論拭掃除は当然一日中である。

　丸木写真館は高貴の方々のみの写客なるが故、埃りなぞ見えないよう常に清潔そのものでなければならない。寒い冬の日、手は寒さにこごえる店の火鉢に両手をかざせば、「この田舎者奴が」と奥さんに手を叩かれる。応接間を見れば赤々と石炭ストーブ火はともる。冬の夜は店の帳場の後の二畳に三人（で寝る）。中二寝る者は身動きも出来ない。夏ともなれば次の応接間のリノリユームを雑巾がけして寝る。朝ともなれば、先生が皮のスリッパを音立て、廊下を二階をと歩き廻る。その物音に門生は一勢に飛び起きる。夕方は仕上の出来た写真の修理である。

　毎日同じ事を繰返す事約三年、漸く焼付係となる。印画紙は当時POP[1]の次の時代で白金紙[2]。日光焼き（は、）毎日修繕の出来たもの増焼合わせて四五十枚程度、朝八時から午后三時頃まで一枚のネガで七八枚焼付る。（焼付）の終る少し前に、新米の焼付係りは早く仕上場へ行って仕上げの準備をする。主任が下りて来て先づ印画紙を一液二液と順を追うて最后はハイポー[3]である。その処理は新米の弟子である。そのバッドに入れた印画紙を実に丁寧にハンドルさせられる。もう手がしっ切れるように痛む。それが終ると水洗となる。水洗は台の上に全紙のバット二個。無論水道があるが、水道の水は使はれない。写真師は体が弱くなるといわれて井戸水をツルベて使う。桶の水二杯で全紙バット一杯バットに向合って二人で相互に十二回で水洗は終る。その間ツルベの水汲み役は大変だ。休むひまもない重労働。それから写真の裁断（は、）今のように裁断機があるはずがない。ウス歯の包丁を研ぐ糊を煮る。それもコンスターチ[4]七分ウドン粉三分を半煮えの内に、火から下し、よくかくはんす。糊を半煮えにする事については後に記す。かくて水洗が終った印画紙を全紙程の板

に載せて二階の仕上場へ行く。そこには手のあいて居る人達が集まる。印画紙をのせたもの、まわりに写真をのせた上で輪郭の裁断が始まる。終われば糊付け台紙にはる位置を直す。写真の上を拭く台紙掛に一枚づゝ掛ける。こゝで写真に糊付けする。先づ針をワリ箸の先につき、差札糊のついた写真を一枚一枚おこしつゝ、台紙のハリ役に廻す。糊の煮方である。暑い日に台紙にはられた糊は腐敗する。従って写真は変色する事に、糊の煮方も注意萬々。この焼付三年の間、他の技術を習得する場で、修繕もスパートも引伸も修得せねばならない。

　引伸の機械は古く、或る時は出張暗箱を使用する時の方が多く、レンズは窓へ向って、窓は写場のスラントの如く、くもり硝子を入れてある。露出は勘である。不完全な機械でよい仕事をするのが立派な技術者だと先生はよく言ふ。焼付するようになると店より二階の六畳の間へ寝かされる。そこには兄弟子が二三人居る。弟弟子は軍隊のように寝夜具の上げ下しから下駄の洗いまでする。当時は和服姿タスキがけのいでたち。先生は修業中朝早く起き、つるべの水をかぶり宮詣りし、技術の上達を祈った話をする。吾れ吾れも朝早く水をかぶるといふ仕業であった。

　かくていよいよ写場の人となる。始めて人を写す場面である。この写場の何年かは自らシャターなど持って行く訳にはゆかない。それは出張撮影でもいえる事だが、写客は皆貴顕紳士ばかりで、吾れ吾れ末輩がシャッターをきる等思いもよらない。ネガの取替作業のみにて月日は経つ。その間先生や、技師の目を盗んでは同僚を写す。盆の休みには機械を貸りて家族の者を写すぐらいが練習の場である。無論材料は自分持ちで、写場へ出た間は自然に心の修養をつむ（それは高貴の方のみで言葉使一つにしても丁寧に敬語を使はれねばならず自然と立居振舞にも注意せなばならない）。

　機会が多く、他日よい作品のある写真が作れるようになった事は丸木時代の贈物であった事を感謝している。先づ現代の写真師に欠けてゐるものは技術と教養であると強く主張したい。品位ある写真は一朝にして出来得るものではない。日々この教養こそ肝要と思い、それが先生の人格である。

　三年目に丸木の定紋の入った羽織を裁く。入門時は小使二十銭である。正月一日の朝早く女中がベルを振って各室の門生を起す。大広間には先生夫妻が正

座し、一人づゝ年賀の挨拶をし終ると一同居蘇を祝う。その時は在京の先輩も来る。先輩は過去の話に花が咲く。又焼付場へ上りコノキヅ僕がつけた、こゝで何をしたなどと思い出にふける。又仕事で失敗をすると、すぐ先生は優秀だった先輩の名をあげる。その中に横浜の前川謙三先生が例にあげられる。前川を呼んでくるぞと。

　二十才、宇都宮輜重兵第十四連隊に入隊し、除隊後再び礼奉公として丸木先生の許に帰る。それより技師長であった井口義雄さんの世話にて、新富町に開業の兄弟子伊東末太郎氏の技師に。伊東氏は末に社団法人日本写真文化協会々長となる。又当時東京に於てアルバム（学校）作製の一人者である湯島五丁目の中村写真館の技師として、専らアルバム作製を研究。その時丸木時代の同窓の板倉忠正氏（この人は米国帰りの人にて私の丸木退館一年前入門した人）が富山市に開業するに当り、その責任者として大正七年富山へ来る。昭和元年四月舟木写真館を買取しこゝにて営業を開く。

§丸木写真館の夜の門限

　夜は十時が門限である。九時半頃になれば奥さんが鍵を持って玄関に立って居られる。外出とて風呂屋へ行く位。先輩になると、風呂屋と言って映画館（や）寿し屋へ行く位が関の山である。玄関へたまゝ遅れて来れば、家は下宿屋ではありませんと叱言される。要領のよい先輩はすぐ裏の出入の桑原と言ふ台紙屋へ宿り、朝早くハタキを使いながら入る者も居る。因みに丸木では表からハタキで掃除する習慣になってゐたのである。

　玄関番三年漸くにし焼付係となる。当時はPOP時代を経て白金紙。日光焼（の）焼付場は、外のスノコの上に枕木を並べその上に焼枠を置く。焼枠には直接日光が当らないように薄い紙をはる。その後スラント[5]のように雲り硝子の下で焼付けるようになった。その印画紙の焼込み方が又なかなかむづかしいものである。増焼新写分合わせて三四十枚、朝九時頃より午後二三時迄に、一枚のネガで八九枚位きり焼付が出来ない。焼付が終れば仕上げで新米の弟子は仕上の準備にとりかゝる。主任が下りて来て仕上げにかゝる。一夜二夜と順を追うて最后はハイポーで、そのハイポーなるや冷たく手の千切れるようきの中に、手を入れ処定の時間ハンドルする。ハイポーより上げれば水洗台の上に全紙のバット二個並べ、向い合って右から左、左から右と相互に水洗する。

水洗の水は、先生は写真師は体が弱くなると、水道はあるが井戸の水、それも
つるべの水二杯でバケツ一杯、かくて水汲み役は始めより終りまで大変な仕事。
その間包丁を研ぐ、糊を煮る休むひまもない。それより裁断で今のように裁断
番があるはずがないが、始まる頃には修繕の人、手のすいて居る人達が集まっ
て来る。一人一人の前に定板をおき、定規をあて、ウスバで四方廻しながら切
る。それが終れば糊付から台紙へ貼る。糊付から台紙へ貼る時は印画紙が薄手
なるが故、割箸の先きに針をつけ、それで一枚づゝをこして次に渡す。こゝで
先づ糊の煮方である。

　糊はコンスターチ七分、うどん粉三分の割合。これは煮上る。一寸前に火よ
り降し上くかきまぜる。これは夏季に、印画紙と台紙の間で糊が腐敗し印画紙
も変色する事により、糊の煮方は特にやかましく言はれたものである。焼付二
三年の内に修正も引伸もスパートも習得せねばならない。引伸機など今の様に
特別のものがある筈がない。出張の暗箱を使用する光線はすべて日光露出は勘
を頼るより致し方ない。完全な機械で立派な仕事をすることが立派な技術者だ
と先生はいつも言ふ。無論焼付係となれば二階の六畳間へ寝る先輩の仲間入り
で、軍隊の如くふとんの上げ下し、下駄の洗いまでせねばならない。当時は皆
和服姿にタスキがけの有様。先生は修業中、朝早く起きつるべの水をかぶり宮
詣りをし技術の上達を祈った話をする。吾れも水をかぶる。かくて漸く写場の
人となる。その時は三階の先輩と共に起居を共にす。

　いよいよ年明き頃となれば（年明きとは奉公人の年季の明ける頃を言ふ）写場
へ出される。写場では始終ネガ取替が仕事で、その間採光等は先生と技師長の
技術を習得する。この目この心で習得する以外に道はない。現代のように電気
を使用するなど思いもよらない。皆日光撮影。サイドスクリーン、ヘッドスク
リーン[6]、レフレクター[7]の使分けは大変なもので、技師の採光は手早く、先
生は機械の前に客と相対する。技師は客の後にまわる先生のサインに依って頭
の前後左右を直す。直し終れば先生は機械の横に立ち、すぐ絞りの入れるその
瞬間に、ピントを合はせる。カビネ[8]全紙まではダルメヤー[9]。B3八切以上は
B5判。瞬間にピントを合せる事は至難の業であるが、これが出来るようにな
ればピント合せも一人前だ。在館中は七年や八年経っても自身で客を撮影する
ことなぞ思いもよらない。先生の目をかすめては同僚をモデルとして練習する。

これらの材料は折に付一枚或は二枚のロスは見込まれてゐることによって、補ふ印画代にしても毎日焼付する数量を傳票にして、印画代を奥の金庫から貰ってくる。無論薬品類も同じである。

かくして年明けと同時に軍隊へ入隊。除隊後礼奉公として、一年間主家に奉仕する習はし。かくて一人前として同館に居るか、他館に修業に出るか、開業への足固めとなる資産なき者は資金を得るため数年は技師生活をおくる。

§材料の仕入

材料は主に小西六[10]からで、当時シードという乾板[11]で多分イーストマン[12]の製品と思ふ。これを多量に仕入れ、小西より持ち来るものを一折ずつ箱を耳にあて、振って破損していないかを調べる。もし破損品あればすぐ取り替えさせる。又台紙は春ドイツへ注文。秋になり大きな箱づめ（が）二三個くる。よく乾燥された小さな台紙でも水を使用。又よいものを桑原台紙店へ見せ研究させ作らせたものである。又その箱の中に台紙も多く入ってゐた。それらは夏暇の時、門生が集まり自由台紙を作るコッピーで、輪郭を押し、ネームを押し、ライオンの装飾までも手製の立派なものが出来上る。

§写場でダブルライトの始め

米国シカゴから大正五年頃かと思う。小野と云う人が技師とし招聘された。日本で始めてダブルライトを顔に両面から光をあて、写す事で、その撮影は又めづらしい事である。私も早速写場で先生の目をかすめ撮影した事がある。我が国ではこのダブルライトといふ撮影は始めてであったと思う。

§出張ノ場合

当時は注文の大きさ（は）例えば四切半折全紙である。暗箱もそのサイズに応じ、このものを持っていく。今の様に小形の機械で伸すなどのことはしない。無論引伸機のよさはあるが、密着のよさは又格別である。但し当時は小形のキ械なぞ市販してゐない時代である。小松宮さんの大礼服の全紙のネガで日光焼（を）する事など大変であった。又普通集合の場合、半折が多く、李王世子を伊藤博文が朝鮮から御連れした時は、帝国ホテルで写された。今の様にフラッシュ電球があったのではなし、マグネシュームを袋の中に入レ、レリーズ[13]で発火させ、袋を外に持ち出し煙を掃って又写すといふ調子。誠にのんきなものである。英国のコンノート殿下が大正天皇にガーター勲章を献上する時は、霞

ヶ関離宮（にて）半折で写したのを記憶してゐる。人力車で半折全紙の暗箱を股間に入れて乗って行く有様は今から考へると滑稽である。因みに車夫は日露戦争の時の広瀬中佐と共に戦死した杉野兵曹長の父であった。

§皇族華族家に使に行く

宮内省へ両陛下御真影を持参する時は、堂々たる態度にて坂下門より入り、皇后宮職へ。御真影は一応消毒室へ入れる。ホルマリン液の室で閉口する。又宮家へは御役所があり、又華族方へ御届けする場合なぞは、堂々表玄関へ。おもむろに三太夫が頭を下げつゝ、戸を開けば、一介の小僧かすり羽織袴着用に及ぶ。怪げんなる顔をして勝手口へでも廻れと言はんばかり、開口一番「丸木から御殿様の御写真を持参致しました」と告げれば、その態度一変して慇懃となる。

又地方より県知事、御真影拝受の為め、宮内省にて御真影拝受して、丸木へ復写依頼に来る。セピヤ調のカーボンなれば、当時のネガにてはよきネガが出来ない。丸木は原板を宮内省より借用し、焼付ける。無論良きものを。複写のネガは県庁へ納めるが故、地方写真師では好結果のものは出来ない。再び各県より何十枚もの注文がある。それを一枚ずつ封をして届ける。丸木より持参の御真影は、地方の役人が検査する必要なきものと、権威と責任をもつ。

§或る日のエピソード

今上陛下（昭和天皇）今だ初少の御頃、海軍大演習の砌り、6×9の現像を頼まれそれを批評するように申し来る山本達雄君。よし吾輩が批評すると吾輩観定流で書くなぞ、朱色にてネガのすみに批評をし届ける。後程御呼出しになられ、これがオーバアか、なぞ聞かれた。それは艦上より飛行キを写したもの。一見して真黒のネガである。その一角に飛行き写しあり、さすがの山本君も恐縮して引き下がった事を記憶してゐる。

§閑院宮様の御事

数多く御来写なされる宮様の内、閑院の宮様は御来写も多く、丸木としては最も大切な御方である。よく御役所へ集金に行く事があった。或る時御役所の係が手文庫を持ち来り、殿下の俸給がみんな無くなるなど冗談を言はれ、支払はれることもあった。因に殿下は陸軍参謀本部へ勤められ参謀総長の職であらせられた。尚赤十字総裁でもあった。

又或る時殿下が銀座日吉町の小川一眞先生の写場で御撮影遊ばれた事があり、

当時小川先生は丸木先生とともに我が国写真界の両巨頭である。小川さんで御写しの写真が御気に召さなかったのか、その後すぐ丸木へ電話があったが、先生は非常に不機嫌で、只今お上へ参上してゐると申せと、申し御断り申した事がある。お上とは宮中の事で、その時の電話の取次は私である。その後御来写になられ、全紙で相当の数納めたことがある。今から思ふと当時の写真師の自負はたいしたものであったと。現代の写真師もこの位の自負と自信をもちたい事と思ふ。

その後英国のコンノート殿下、我が大正陛下にガーター勲章の奉呈あり。当時御病後、御つむりは丸刈であられた。勲章をお付けになられた御姿を先生が東宮御所へ撮影に伺った。又高官とコンノート殿下は、霞ヶ関離宮で半折で（集合）を写された。その後陛下の御撮影は宮中紅葉山の写場で御撮影。御真影として御下賜になられたものである。当時の侍従長は伊藤公であり、伊藤博文公の子息である撮影の時は、おそばで御世話なさって語られ、陛下はいつも丸木に任せておけばよいと仰せられ、先生は非常に面目をほどこしたとよく申しておられた。現像したネガは床の間に〆縄を張り乾燥したもの。その日は食堂で門生達へのふるまいがある。

撮影には黒田画伯が丸木に迎いに来られ、先生と同道された。その頃より宮内省に御写真部と云う処が（設けられ）、丸木小川両館より写真部員として奉仕することとなった。先生は奏任官待遇勲六等となり小川先生と共に連立拝謁の上、拝受。当時の写真師として面目躍如たるものがあった。

又四方拝（正月元日）には皇后陛下の裾奉仕の公達が撮影に来られる。これは華族の子弟にして学習院の生徒のこと。又陛下が大演習統率のため宮中お留守中、宮中女官の方が菊の御紋章のある御馬車で金一封と菓子を持参し撮影に来られる。

§宮中に写真を納めたある日のこと

ある日御真影を納めに宮中へ行った。無論消毒するのである。人力車も入る様な消毒室がある。役人はその室がホルマリン消毒室であるので、丸木さん入れて下さいと云はれたので、入れよ（う）とすると、ホルマリンで目からは涙が出る。それはそれは大変なものである

＊＊＊＊＊＊

ある日宮中の正殿で、各室を撮影に行った時がある。この時、丁度陛下の御散歩の時間であったので、写真師さん一時身を隠してゐて下さいと言はれ、廊下の一隅に身をかくしてゐた時もある。

　　　　　＊＊＊＊＊＊

　ネガを現像し、床間に〆縄を張りそこで乾燥する。又その日は門生一同食道で供宴といふ有様。撮影には代替四ツ切十二枚位である。陛下が大演習にお出ましになられた御留守には、（宮）中の女官が菊の御紋の御馬車で店へ大勢御撮影に来られた。お土産としてラクガンのお菓子をお持ちになられる。十二単の服装である。これは毎年のことである。

§思い出に残る撮影

　明治大帝崩御の御行列御様子の撮影、その後大帝の大演習御時、地図を御覧になって居られる御写真を、御体を起しカビネ半身としたもの。この注文は非常に多く、朝日新聞他多くの注文の為め、日光紙では間に合はずブロマイド紙にて焼付。食事の時以外日の目を見ず一週間以上暗室作業。その後大将夫妻殉死の前日、乃木家より撮影方電話ありたれ共、大帝崩御の為の喪に服し語る関係上御断りす。これは赤坂の秋尾新六氏撮影、この写真も各新聞社よりの注文で数千枚の焼付があった。

§大正陛下のご即位

　（即位の礼で）御撮影申し上げその時、皆昔の衣装で紫宸殿の前にて撮影。又四方拝では時間を定め親任官、勅任官、奏任官[14]の順に参賀。途中馬車が丸木の玄関前には列をなす。高貴の方この勲章をお付する手持つ等で多忙である。皇后様の御裾奉仕の方々が多く見える。この方々は華族の若様で学習院の生徒である。

　維新の元勲松方公は写場で立たれれば一（寸）動かれず、実に頑固な方で先生も弱って居った。サイズは当時カビ半身から四つ切まで。先生は撮影に当たっては機械の前に立ち、技師は客の後に廻り、先生のサインで頭をなおす。先生が機械の前から少し横に立ちシボリを入れる。その瞬間にピントを合はせる。早業、それもダルメヤー（B3）これでピントが合はせれば一人前だ。皇族の方々の御来写も多く、閑院宮、梨本宮、東伏見宮、華頂宮の御来写、特に閑院宮様は丸木の上得意であった。

＊＊＊＊＊＊

　写場でのことと云へば先生が宮中へ参上の留守中、伊藤博文公が見えられ、当時前川謙三さんが代写。それは公がフロックの第一第二ボタンの間に手を入れて撮られ、八切半身のものが大変公に喜ばれ、いつもそれが増焼されたことを記憶してゐる。各皇族華族の御来写特に閑院宮、東伏見宮、華頂宮、梨本宮、李王世子妃はよく来られた。李王世子妃は梨本宮姫宮様で、よくお子様ずれで御出でになられ、お子様を抱き上げられ、ピントを覗きこまれ、吾れわれの顔すれすれになられる事がよくあり、恐縮した事もあった。尚代々その総理各大臣陸海軍将官の撮影も多く、記憶に残る方として、桂太郎、山本権兵衛、若槻禮次郎、出羽海軍大将、原敬等政界の人々等である。出張は当時小形機械の無き頃であり、多くは四ツ半折全紙である。自動車もあまり普及されてゐない時であり。人力車上の股間に暗箱をはさみ、よく出張された時のお抱車夫は、日露戦争の際広瀬中佐と銅像となった杉野兵曹長の父である。

＊＊＊＊＊＊

　又今上陛下の立太子式の模様を、沿道で何ヶ所かで写した時は、普通の組立暗箱にフォーカルプレーンシャッターを取付て、写したことを記憶。又伊藤公が朝鮮から李王世子をお連れし帝国ホテルでの宴会等の撮影には、無論電球のあった時代ではなく、大きな袋の中に粉をいれ、ゴム球により同時発火させ、撮影が終ると表へ袋を持ち出し煙をはらい又写すといふ悠長なものであったとか。これは特別の家のことで、多くは［あかり］の前に、布をあて遮光したものであり、もし布を忘れた場合は、障子を借り遮光して写したものである。カビネより四ツ切までの焼付は、さほどの事もないが、有栖川宮は大禮服の七分身であり、全紙の焼付（日光焼）は大変なものであった。

＊＊＊＊＊＊

　たまたま使いに出されるこの時は、どんな遠い処でも片道の電車代だけで、帰りは必ず歩いて帰る。早く帰ろう思へば皆自腹である。御真影や宮殿で華族の御写真を持参する時は、堂々と表玄関から入れと云われる。それは御真影であり、殿下殿様の御写真なるが故、決して勝手口などから入るべからざる。胸を張って殿下或は殿様の御写真をお持ち申し上げましたと告げる。三太夫がおもむろに何様の御入来かと表玄関を開けきく。頭は下げっぱなしで、頭を上げ

たとたん、カスリの着物に袴の出でたちの小僧。何（ゐ）ならんと驚くのも無理もあらず。

＊＊＊＊＊＊

　四方拝、紀元節、天長節、これを三大節をいふ。この日は宮中参賀の貴顕紳士が二頭立の馬車で続く続く玄関へつめかける。参賀の時間は親任官直任官奏任官といふ順に参賀の時間が定ってゐる。写場の化粧室で勲章を付ける手助（け）をする。そばへも寄れない高貴の人、元帥大将と云ふ位の人の勲章吾れわれ小僧にも気軽に「重いだろー」など冗談を言はれる。今から思ふと感慨無量で、サインなども気軽に書いてくれたと思ふ。残念な事をしたと思ふ。客にサイズを聞くだけで、価格など（失礼）の様に思ふので聞いた事はない。撮影は大体二ポーズであるが先生が気のむくまま幾ポーズ写す事もある。宮様や特ニ高貴の方へはプルーフを持参する。それはPOPで焼付し定着しないもの、日光に当てればすぐに黒くなる。選んで御返し願ふ。持ち帰り、すぐハイポーに入れて秘密に保存する事もある。

＊＊＊＊＊＊

　徳富蘆花の小説ほとゝぎすの小説に出る浪子のネガをさがす。私がまだ小僧の時代、よく実業之日本社の増田義一[15]とか云ふ人が来て、浪子のネガをさがしてくれと毎日のようにせがまれた。主人公の（モデルは）大山巌元帥の息女の信子さんとのこと。丸木の中二階に原版保存室があった。ガラスのネガは、和紙の袋に入れ、年月日名前が一枚ずつ書いてあった。時は明治二十七八年頃（の）、日清戦争前後のネガをさがした。たまたま大山家信子といふネガが見つかった。これを焼付して渡した。その後実業の日本にほとゝぎすの浪子のモデルとして出たことがある。因に増田義一と云ふ人は実業の日本社の社長とか。尚当時雑誌社の人で杉謙次[16]と云ふ人も毎日来て。皇族華族の写真を承認書持参の上又戸籍謄本まで用意して裏話まで聞かせたものであるが、この事は皇族華族に関することでこゝでは話すことをはばかることゝする。

　註
　1）POP紙：20頁の註を参照のこと。
　2）白金紙：20頁の註を参照のこと。

3) ハイポー：写真現像に使用する定着液の一つ。硫酸ナトリウムとも言う。
4) コンスターチ：トウモロコシを原料につくられたデンプン製品。丸木写真館では台紙に写真をつける糊をつくるときに用いた。
5) スラント：明治期の写真館で、自然光を採り入れるために、傾斜となっている屋根の一部にガラスをはめ込み、採光用の窓とした部分。
6) サイドスクリーン　ヘッドスクリーン：スラントにとりつけられた採光量を調整するカーテンのようなもの。
7) レフレクター：光を反射させる反射板。
8) カビネ（キャビネ）：印画紙の大きさの一サイズで、横12センチメートル，縦16.5センチメートル。
9) ダルメヤー：イギリス人ジョン・ヘンリー・ダルメイヤーが創業したイギリスのレンズメーカー。レンズの他、カメラなども発売した。
10) 小西六：20頁の註を参照のこと。
11) 乾板・写真乾板：20頁の註を参照のこと。
12) イーストマン：20頁の註を参照のこと。
13) レリーズ：写真を撮影するときに、カメラから離れてシャッターを切るための用具。コードの先にスイッチがついているのが一般的である。
14) 親任官：大日本帝国憲法下の官僚の階層の中で、最上位に位置づく階級。官僚は高等官とそれ以外に分かれるが、高等官の中で天皇の親任を受けるものが親任官で、内閣総理大臣や、枢密院議長、大審院長などがそれにあたる。その下が勅任官で、その下が奏任官である。また、さらにその下位に高等官ではない官吏として判任官がある。
15) 増田義一：20頁の註を参照のこと。
16) 杉謙次：正しくは杉謙二。21頁の註を参照のこと。

関連資料 II
伊東末太郎、有馬多可雄、伊東敏夫、丸木利陽　履歴（『故　丸木先生』より抜粋）

　以下は、丸木写真館に弟子として務め、その後新富町に「伊東写真館」を創設し、戦後日本写真文化協会の会長などに就任する伊東末太郎氏が中心となってまとめた丸木利陽に関する履歴である。同氏は明治19（1886）年に福井県で生まれ、浮世絵や日本画の修行をした後に、明治37（1904）年に丸木利陽の写真館に入門し、その後明治42（1909）年に東京の新富町にて写真館を開業する。後に日本写真文化協会の会長などを歴任し、昭和49（1974）年に死去した。本履歴は昭和25年に、伊東末太郎、有馬多可雄、末太郎の長男である伊東敏夫を中心に和装本にまとめられている。内容については今後様々な方面から検証をする必要があるが、広い知見を集め、今後の研究に役立てるため、ご子孫の協力を得た上で、その一部を活字化して本書において提示する。（編者）

伊東末太郎

　明治時代に於ける写真師の歴史が我が国の文化の発達に伴って発展して居る事は事実であり、その地位は今日の写真師の及びもつかないところであった。東京の文化発生の地は浅草であり、今日では西に移って銀座となって居る様であるが、その昔浅草に於ては、内田九一、江崎礼二両氏によって、明治初期の写真時代が形成され、小川、丸木時代へと移って来たのは明治十三年頃の事であった。

　丸木利陽は、福井県の出身者にして、明治八年頃上京せられ、二見朝隈氏を師とせられ、銀板時代と云われて居る今日から見れば、誠に不完全にして且つ幼稚な乾板を硫酸鉄と硝酸銀を用いて自ら作り、ハイポーは未だ日本では出来て居なかった故、青酸加里を使用し、印画紙はアルビューメントペーパーと云

って、鶏卵を主体として作られた感光紙をドイツから輸入して使用していた時代で、我が国には横浜商館を除いては、内田九一が撮影旁々レンズ及薬品を取扱い、明治四年に浅沼藤吉氏が開業したのが元祖で、同九月には小西六右衛門が小西商店として次第に大をなして来た事は、現在を見れば肯けるであろう。

　このような実に不便な時代に生活して居た写真師は、一面非常に豊かな生活をして居られた事も現在から見れば羨ましい限りである。写真師の如きは自家用に馬車を、少なくとも人力車は持って居たもので、生活それ自体が豊であった事は、明治時代に生きて居た写真師共通の現象であった。

　丸木師もその例に漏れず、明治二十三年新桜田橋際の現在の虎の門近くに、十五萬円で三〇〇坪三階建鉄筋コンクリート造の写場兼邸宅を造り、その開業日には足場を築き、米数百俵を施米として、乏しい人々に配け分えて居るのを見ても、当時の生活状態の一端を窺う事が出来る[1]。

　かくも堂々たる構を持ち得た事は時代であったとは云え、立派な写真を作るには家自体立派な構えでなくてはならないと云う師のモットーからでもあったろうと推察せられる。その構えの偉大さは観光客の目を奪わしめずには置かなかった。その構えをみた見た或る観光客は「これが写真館であるか、私は大臣の邸宅かと思った」と云って感嘆の言を発したとさえ伝えられて居る。

　室内の大きいのもまた大したもので、九間に四間の木製バットが自由に使用せられ、しかもこの様な貴族同等の構えをして居た師の心構えも驚くべきものがあり、門生には先ず修道を学ばしめ心の浄化を計る共に、当時の顧客が皇族貴族であった関係上、宮内省関係の書類を製作する為の一助ともされた様であるが、この教育方法は師が亡くなれる迄残されて居た。

　写場に於ける師の態度は厳粛そのもので、サインは全て頭と目の動きのみで示す以心伝心そのものである。門生（今では一流写真館主であるが）の如きは、"お前は光がわかるか"と言われた程写真生活には詳細な事迄気を遣われ、その中には自己自身の独自性を築こうとする研究心が溢れて居て、学問の現実化実用を常に心掛けて居られた。

　かくの如く研究心の強い人であるから、その気の強い事も凄じく、それだけに意志が強固であった事は、常に自己自身を試験台とせられ、人を起こす場合も先ず自らが起きて後起こす、所謂率先垂範の形で示され、人の頭に立とうと

するには他人と同じ状態を踏みつつしかもそれ以上に努力を為さなくては出来ない事を、無言の中に行われたのである。この様な厳格な教育法に耐えられず、途中で門を出ていく者は枚挙に遑がないけれども、この教育を直ちに自己のものとして世に出た人としては、特に名を挙げて居る人々であるとして誤りはないだろう。

　皇族に対しては礼節を重んじ、大義名分の法を自覚して居た事は時代でもあったであろうが、それは実に正しかった様である。「或る日先生の留守中某皇族が手札型を撮りに見えた際、門生は普通の貴族と同様に取扱いよいよシャッターを切ろうとした時、先生が写場に来られた。門生等は、手札型だから大した事はない、自分達で十分だと思って居た処へ来たから、余り気持ちがよくない。大きな体の先生はその貴族の前に座し、最敬礼を行われた。後で某皇族であった事を聞かれて、写場に出た門生一同、非常に恐縮をした」とか、一つの逸話として残っている。

　亦顧客に対する先生の接待については、顔と体による使い分けを十分研究せられて居た。と云うのは、顔と体は幾らでも感情を表現出来得る要素を持って居る故に、その要素を駆使して自己自身が心に抱いた顧客に対する持成(もてなし)を表現する方法を考察せられて居たのである。門生は或る時不意に"お前の顔と体による心の持成し表現はどうか"と問われて、聊(いささ)か答えに窮したと云う話も有る。

　尚先生は美の表現についても口喧しく、作品に対する責任についても常に注意せられ、作品は常に生きて居る事の表示に意を注がれて居た。

　今日の写真館では、夜間撮影は電気の設備により何不自由なく出来るが、当時に於ては考えられず、多くは夜間撮影をせず、当時は、マグネシュームを線状にしたものに火を点じたものを使用したが、その効果は乏しく、日没後の撮影は中止するの止むなきに至るのであるが、この夜間撮影の不可能を可能にすべく日夜電気の利用とその発展に頭を使って居られ、自らスポットライトの如きものを設計せられ、それをロープで吊しハイライトの研究に資された事もあったという。その後数年して、電気による夜間撮影が正式に行われた様に記憶して居る。この様な進歩は印画紙にも現われ、白金紙ブロマイド、白金タイプ並びにカーボン紙等が著しく需要に供されるに至った。かくの如き写真自体の進展はますます師の研究心を刺激し、その情熱は門生の海外派遣に迄及び、欧

米の文化文明の直接輸入を計画し、山本氏等を留学せしめ、度々知識を取り入れた。即ち山本誠陽氏はブロマイドを、山本章雄氏は技術一般、前川謙三氏は閃光器具並に薬品白金タイプ、カーボンを、さらに吉田公輝氏は技術一般を体得して帰国後イーストマン社技師と共に写真の普及に務める一方、オリエンタル社昭和工業の技術者として全国を廻る等、その業績は目覚ましいものがあるが、それだけの人々を派遣した心の大きいのに、今更の如く驚くと共に敬服するのである。

かくして大正四年九月正七位に叙せられ、勲六等瑞宝章を賜り、小川一眞と共に紅葉山に宮内省写真部を設立し、大正十二年一月二十一日七十三歳[2]でこの世を去られたのである。

この死去に際し、従六位叙せられて居る。師はその一生を意志と情熱と研究心の総合力で写真それ自体の発達と研究心の総合力で写真それ自体の発達と写真技術の向上とそれに関係せる凡ゆる設備の研究並びに人間自身の完成の為に歩いて来られた営業写真師であると共に、よき教育者でもあった。

七十三年間只管(ひたすら)写真の為に生き、死んで行ったけれども、その技術には独自なもの即ち、スタイルを生んで居るが、不幸にして一男一女に先立たれ、かくも偉大なり業績が全く滅亡してしまった事は、門下生として非常に遺憾とする処である。

註
1) 移転開業の年は明治二十三年とあるが正しくは明治二十二年。
2) 没年の年齢は文献によって異なるが安政元（1854）年4月生まれであれば没年は満68歳である。

関連年表

年　　代	年齢	主　な　出　来　事
安政元（1854）年	誕生	4月14日 丸木利陽は福井松平城下に、竹内宗太郎の息子として生まれる。名を惣太郎とする。
少年時代		丸木利平の養子となる。
明治8（1875）年	21歳	弟の宗吉とともに福井を出る。惣太郎（後の利陽）は東京に、宗吉は青森に行く。 惣太郎（後の利陽）は東京で写真師の二見朝陽・朝隈に写真術を学ぶ。
明治13（1880）年	26歳	5月8日 独立し、新シ橋内の旧三条邸内（現在の霞が関一丁目、経済産業省敷地内）に写真館を開業。
		軍人や若手官僚、華族などを中心とする顧客が増加。
明治20（1887）年	33歳	5月24日 嘉仁親王（後の大正天皇）が近衛師団を訪れた時の集合写真を撮影する。
明治21（1888）年	34歳	エドアルド・キヨッソーネによる明治天皇のコンテ画を撮影。 弟子の前川謙三が入門する。
明治22（1889）年	35歳	6月2日 元三条邸の写真館が国会議事堂の建設用地にあたるため、芝区新桜田町の新シ橋角付近に写真館を移転して開業。（現在の西新橋1丁目6番地付近） これ以後皇族や華族、実業家など、社会的に地位の高い人物の写真を多く撮影。 6月15日 昭憲皇太后の写真を撮影する。（前日の14日に鈴木真一が皇后を撮影する）
明治23（1890）年	36歳	第3回内国勧業博覧会に出品、3等賞を受賞。
明治24（1891）年	37歳	2月25日 三条実美の国葬の様子を江崎礼二らとともに撮影する。
明治28（1895）年	41歳	7月 写真帖『征清凱旋之盛況 東京市奉迎』が出版される。
		この頃までに朝鮮の仁川に支店を出店する。（閉店時期は不明）
明治31（1898）年	44歳	弟子の前川謙三が渡米。

年　　代	年齢	主　な　出　来　事
明治35（1902）年	48歳	弟子の前川謙三が米国から帰国し、丸木写真館に所属する。その後、本格的なレンブラントライティングによる撮影が行われる。
明治37（1904）年	50歳	弟子の伊東末太郎が入門する。
明治37（1904）年〜明治末		裕仁親王（昭和天皇）、雍仁親王（秩父宮）、宣仁親王（高松宮）などの幼少期の写真を撮影する。
明治38（1905）年	51歳	7月30日　読売新聞に、近年の写真館の様子などについてのコメントが掲載される。
明治39（1906）年	52歳	9月　日本乾板株式会社が設立され、小川一眞らとともに資本参加する。
明治42（1909）年	55歳	日英博覧会に出品。 弟子の前川謙三が横浜で写真館を開業。
明治43（1910）年	56歳	弟子の根岸栄一郎が入門。
大正元（1912）年	58歳	9月13日　明治天皇の大葬の模様や儀式の前後の様子、関連する事物などを、複数の写真師で構成された謹写団の一人として撮影する。 10月1日　裕仁親王（昭和天皇）が、陸軍正装、海軍正装、陸軍通常礼装姿で、同年9月9日に授与された大勲位菊花大綬章を佩用した写真を撮影する。雍仁親王（秩父宮）、宣仁親王（高松宮）も撮影する。 この年の秋頃に大正天皇の陸軍正装姿とガーター勲章を佩用した肖像写真を撮影する。
大正2（1913）年	59歳	10月15日　宮内省調度寮嘱託員に、黒田清輝、小川一眞とともに任じられ、大正天皇、貞明皇后の御真影や皇族の写真撮影を担当する。同月に奏任官待遇となる。
大正3（1914）年	60歳	4月25日　昭憲皇太后の大葬の模様を写真撮影する。
大正4（1915）年	61歳	6月　　　大正天皇の御真影を撮影。 11月10日　大礼記念章を授与。 2月20日　小川一眞や丸木利陽が設立に尽力した東京美術学校臨時写真科が設立される。弟子の前川謙三は「修整実習」を担当する。

年　　代	年齢	主　な　出　来　事
大正5（1916）年	62歳	7月5日　貞明皇后の御真影を撮影。 7月21日　長男の利雄が死去。 11月3日　裕仁親王（昭和天皇）の立太子の礼の沿道などを撮影する。 11月10日　正七位を授与される。
大正6（1917）年	63歳	11月22日　勲六等瑞宝章を授与される。
大正12（1923）年	68歳	1月21日　丸木利陽が死去し、赤坂の報土寺に埋葬される。（享年68） 4月　　　弟子の前川謙三が講師となる小西写真専門学校（後の東京写真専門学校　現東京工芸大学）が創設される。 9月1日　関東大震災が起こり、その後の都市計画に同館がかかるため、その後写真館も廃業する。

参考文献 （順不同。主なものを掲出し、19〜21頁及び文中に明記した文献・論文は除く）

岩崎与四郎育英会『写真集「明治の横浜・東京」―残されていたガラス乾板から―』神奈川新聞社、1989年
国立歴史民俗博物館『旧侯爵木戸家資料目録』2011年
　　〃　　　『企画展示　侯爵家のアルバム―孝允から幸一にいたる木戸家写真資料―』2011年
学習院大学史料館『写真集　近代皇族の記憶―山階宮家三代―』吉川弘文館、2008年
宮内庁『明治天皇紀』第7巻、吉川弘文館、1972年
　〃　『大正天皇実録』（宮内庁宮内公文書館蔵）1937年
　〃　『貞明皇后実録』（宮内庁宮内公文書館蔵）1959年
　〃　『昭和天皇実録（写し）』2014年（館内閲覧資料）
宮内庁三の丸尚蔵館『三笠宮家ゆかりの染織美―貞明皇后、いつくしみの御心―』2013年
行田市郷土博物館『百年前にみた日本―小川一真と幕末明治の写真―』2000年
東京都写真美術館（監修）『日本の写真家―近代写真史を彩った人と伝記・作品目録―』日外アソシエーツ、2005年
　　〃　　　『肖像はいかに伝達されたか』1997年
　　〃　　　『時代の顔―19世紀の肖像写真―』1990年
　　〃　　　『夜明けまえ―知られざる日本写真開拓史1：関東編研究報告―』2007年
東京都写真美術館監修『写真レファレンス事典 人物・肖像篇』日外アソシエーツ、2006年
東京都写真美術館『肖像―ポートレイト写真の180年―』2010年
　　〃　　　『ファミリー・アルバム―変容する家族の記録―』2010年
文化学園服飾博物館『明治・大正・昭和戦前期の宮廷服』2013年
日本写真家協会『日本写真史年表』講談社、1976年
「高松宮宣仁親王殿下」特別写真集刊行委員会『高松宮宣仁親王殿下―特別写真集―』毎日新聞社、1988年
明治神宮監修『昭憲皇太后実録』上巻、吉川弘文館、2014年
明治美術学会・印刷局朝陽会『お雇い外国人キヨッソーネ研究』中央公論美術出版、1999年
『歴史人物肖像索引Ⅱ近現代(政治・経済・社会)』日外アソシエーツ、2013年
『歴史人物肖像索引Ⅲ近現代(学術・文芸・芸術)』日外アソシエーツ、2014年
井桜直美『セピア色の肖像―幕末明治名刺判写真コレクション―』朝日ソノラマ、2000年
石黒敬章『幕末明治の肖像写真』角川学芸出版、2009年
上田貞治郎『写真原板修整術全書』上田写真機店、1919年
上田正昭（他）『日本人名大辞典』講談社、2001年
植村　峻『日本紙幣肖像の凹版彫刻者たち』印刷朝陽会、2010年

大石直臣『ポートレートライティング』日本写真文化協会、2007年
大久保利謙『日本の肖像』第1巻～第12巻、毎日新聞社、1989～1991年
大久保利泰・森重和雄・倉持基・松田好文『大久保家秘蔵写真―大久保利通とその一族―』国書刊行会、2013年
岡塚章子・八巻香澄『建築の記憶―写真と建築の近現代―』東京都庭園美術館、2008年
緒川直人・後藤真『写真経験の社会史―写真史料研究の出発―』岩田書院、2012年
小沢健志・酒井修一『写真館のあゆみ』日本写真文化協会、1989年
　〃　『幕末・明治の写真』筑摩書房、1997年
　〃　『レンズが撮らえた幕末維新の志士たち』山川出版社、2012年
鎌田弥寿治『写真発達史』共立出版、1956年
　〃　『写真技術講座〈別巻〉写真発達史』共立出版、1956年
　〃　『写真製版技術小史』共立出版、1971年
島岡宗次郎『月の鏡　復刻版』筑紫紙魚の会、1998年
渋谷雅之『英傑たちの肖像写真―幕末明治の真実―』渡辺出版、2010年
高橋則英・小沢健志『レンズが撮らえた F. ベアトの幕末』山川出版社、2012年
多木浩二『天皇の肖像』岩波書店、1988年
　〃　『肖像写真―時代のまなざし―』岩波書店、2007年
　〃　『写真論集成』岩波書店、2003年
寺岡徳二・熊谷辰男『原板と印画修整』玄光社、1938年
徳川義崇・徳川林政史研究所『写真集 尾張徳川家の幕末維新―徳川林政史研究所所蔵写真―』吉川弘文館、2014年
戸張裕子・河合重子『微笑む慶喜―写真で読み解く晩年の慶喜―』草思社、2013年
中西立太『改訂版　日本の軍装―幕末から日露戦争―』大日本絵画、2006年
永瀬　巌『勲功百年史』1985年（私家本・関西大学図書館蔵）
長野重一　飯沢耕太郎　木下直之『日本の写真家〈別巻〉日本写真史概説』岩波書店、1999年
長野重一『上野彦馬と幕末の写真家たち』岩波書店、1997年
成田隆吉『営業写真館入門』光大社、1934年
馬場　章『上野彦馬歴史写真集成』渡辺出版、2006年
平松太郎『肖像写真界を支える人びと』写真研究出版会、1972年
南　實『原板の入手』アルス、1930年
若桑みどり『皇后の肖像―昭憲皇太后の表象と女性の国民化―』筑摩書房、2001年
小沢　清『写真界の先覚―小川一真の生涯』近代文藝社、1994年
木下直之『岩波近代日本の美術〈4〉写真画論―写真と絵画の結婚』岩波書店、1996年
『徳川慶喜家扶日記―明治31年1月ヨリ―』（松戸市戸定歴史館蔵）
『皇族・華族古写真帖』新人物往来社、2003年
『天皇四代の肖像―明治・大正・昭和・平成』毎日新聞社、1999年

協力者・機関 （順不同・敬称・所属機関略）

丸木　眞二
竹内　恭順
田川　博己
根岸　真一郎
根岸　英一
根岸　朗
成瀬　正和
矢島　薫
前川　浄二
兼子　信吾
光山　香治
伊東　静子
伊東　成郎
小川　光三
小川　光太郎
若松　保広
中村　年孝（写真撮影）
朝倉　俊
西村　英之
山形　裕之
高橋　則英
斉藤　洋一
金子　隆一
石黒　敬章
森重　和雄
添野　勉
倉持　基
戸田　昌子
筒井　弥生
青木　淳子
打林　俊
北白川　道久
岩倉　具忠
伊藤　博雅

伊藤　博昭
大久保　利恭
香川　攅一
上野　秀治
樋口　雄彦
小山　良昌
柴原　直樹
小川　益子

福井県立歴史博物館
福井市立郷土歴史博物館
毛利博物館
皇學館大学
国立歴史民俗博物館
スミソニアン協会／David Hogge
宮内庁
霞会館
松戸市戸定歴史館
行田市郷土博物館
日本写真文化協会
日本カメラ博物館
東京都写真美術館
飛鳥園
報土寺
イパレット／津田光弘
東京大学
東京工芸大学
関西大学

本書出版に関わる研究・調査は JSPS 科研費 26330373の助成を受けています。

おわりに

　本書の出版にあたっては、丸木家の皆様に多大な協力を得たことを、はじめに申し上げる。特に丸木眞二ご夫妻とご家族、福井の竹内恭順ご夫妻、田川博己氏におかれては、資料の撮影や出版に際して多くの助言や助力を頂いたことに感謝を申し上げたい。また、弟子筋関係では、貴重な回想録を調査させて頂いた根岸真一郎氏、根岸英一氏、伊東静子氏、伊東成郎氏、丸木会や写真館についてご教授頂いた、兼子信吾氏、小川光三氏、成瀬正和氏、前川浄二氏、光山香治氏、西村英之氏に御礼を申し上げる。また写真の収録にあたっては資料を所蔵する各家のご当主ならびに、皇學館大学の上野秀治教授をはじめとして、調査研究にご支援を頂いた関係の皆様にも改めて深く御礼を申し上げたい。そして調査研究にあたっては、森重和雄氏と添野勉氏に随時助言を賜り、資料のデジタル撮影には中村年孝氏に尽力を頂き、さらに吉川弘文館の皆様には刊行に至るまで、様々な面でお世話になった。ここで、ご協力を頂いた全ての方々に改めて感謝を申し上げる。

　本書は、これまでその作品が1冊の書籍にまとめられたことのない、写真師丸木利陽の写真とその履歴や資料などを総合的に編纂した書籍である。丸木利陽は明治中期の写真界および"イメージ産業"の中において、小川一眞と並んで功績のあった者であるが、小川と比較して、その評価や研究が必ずしも進展していない。それは丸木自身が、生涯、肖像写真の撮影を主とする地道な「写真館主」としての活動に重きをおいた点に理由があろう。しかし、審美性を追求しながら近代日本人の尊厳を表現しようとしたその姿勢は、明治以降の近代日本人像の「原像」となるものであり、現代にも大きな影響を与えている。また、丸木やその弟子が関わった東京美術学校臨時写真科や東京写真専門学校（現 東京工芸大学）から、その後の日本のイメージ産業で活躍する様々な人材が育ったことを考えると、丸木は小川と異なる立場にいながら、共に新しいイメージを創作する担い手を育成する基盤を形成したと言えよう。しかし、本書に掲載することができた写真は、氏が生涯関わった膨大な写真の一部に過ぎな

い。しかし本書を契機として、丸木利陽に関する写真や資料が多く発見され、丸木の生涯をかけた仕事の全貌が明らかにされることを希望してやまない。

　また、本書の編纂にあたっては、デジタルデータを活用する新しい試みを行った。まずは全ての資料をデジタル化した上で、アプリケーションを用いて被写体が身に着ける制服や勲章の種別などの情報を付与して比較分析し、撮影年代や被写体を調査した。そして、像主である皇族・華族などの履歴については編者が代表者をつとめた科学研究費補助金の研究『ネットワーク文化情報資源で活用する人名典拠情報に関する研究』で構築したデータと連動させて調査分析を行った。さらに、本書を編纂するにあたって、収集した資料や証言は、同じく科学研究費のプロジェクトである『電子書籍形式を用いた写真アーカイブズの「リサーチプロファイル」形成に関する研究』において、集約されており、別途デジタルヘリテージとして編纂していきたいと考えている。このようにして作られた本書が、デジタルとアナログをつないだ日本のイメージ文化研究の基礎になればと考えている。

　最後となるが、本書を、平成27年3月21日に急逝された関西大学総合情報学部の上島紳一学部長（当時）に、捧げさせて頂きたい。上島先生は関西大学において、副学長、学部長として長年研究・教員環境の充実化に御尽力された。本書の編集にあたっては、コンピュータやイメージング機器が充実した総合情報学部の情報環境を活用させて頂いたが、その礎をつくられたのが上島先生ならびに、諸先輩方、関係者の皆様であった。人格・学識ともに勝れた方でおられた上島先生に本書を捧げ、先生と関係の皆様に改めて感謝を申しあげる次第である。

　　平成27年3月31日

研谷紀夫

著者略歴
2007年　東京大学大学院学際情報学府博士課程修了
東京大学大学院情報学環特任助教，特任准教授を経て
現在　関西大学総合情報学部准教授，博士（学際情報学）

〔主要著書〕
『デジタルアーカイブにおける「資料基盤」統合化モデルの研究』（勉誠出版，2009年）
『上野彦馬歴史写真集成』（共著，渡辺出版，2006年）

皇族元勲と明治人のアルバム
―写真師丸木利陽とその作品―

2015年（平成27）5月1日　第1刷発行

編　者　　研　谷　紀　夫
　　　　　とぎ　や　のり　お

発行者　　吉　川　道　郎

発行所　　株式会社　吉川弘文館
〒113-0033　東京都文京区本郷7丁目2番8号
電話　03-3813-9151〈代〉
振替口座　00100-5-244
http://www.yoshikawa-k.co.jp/

印刷・製本・装幀＝藤原印刷株式会社

Ⓒ Norio Togiya 2015. Printed in Japan
ISBN978-4-642-08274-7

JCOPY　〈(社)出版者著作権管理機構　委託出版物〉
本書の無断複写は著作権法上での例外を除き禁じられています．複写される場合は，そのつど事前に，(社)出版者著作権管理機構（電話 03-3513-6969，FAX 03-3513-6979，e-mail: info@jcopy.or.jp）の許諾を得てください．